*Como orar
por seus filhos*

Quin Sherrer

Como orar por seus filhos

Tradução
Hagar Caruso

2. edição

©1986, de Quin Sherrer
Título original *How to Pray for Your Children*

Editora Vida
Rua Conde de Sarzedas, 246, Liberdade
CEP 01512-070 São Paulo, SP
Tel.: 0 xx 11 2618 7000
Fax: 0 xx 11 2618 7030
www.editoravida.com.br

Todos os direitos em língua portuguesa reservados por Editora Vida

PROIBIDA A REPRODUÇÃO POR QUAISQUER MEIOS, SALVO EM BREVES CITAÇÕES, COM INDICAÇÃO DA FONTE.

Scripture quotations taken from *Bíblia Sagrada, Nova Versão Internacional, NVI* ®.
Copyright © 1993, 2000 by
International Bible Society ®.
Used by permission IBS-STL U.S.
All rights reserved worldwide.
Edição publicada por Editora Vida, salvo indicação em contrário.

Editor responsável: Gisele Romão da Cruz Santiago
Preparação de texto: Tatiane Souza
Revisão de provas: Esther Oliveira Alcântara
Diagramação: Claudia Fatel Lino
Capa: Arte Peniel

Todas as citações bíblicas e de terceiros foram adaptadas segundo o Acordo Ortográfico da Língua Portuguesa, assinado em 1990, em vigor desde janeiro de 2009.

1. edição:	1989	2. edição:	ago. 2009
1ª reimp.:	1990	1ª reimp.:	jul. 2010
2ª reimp.:	1991	2ª reimp.:	ago. 2011
3ª reimp.:	1993	3ª reimp.:	mar. 2012
4ª reimp.:	1994	4ª reimp.:	jun. 2012
5ª reimp.:	1995	5ª reimp.:	ago. 2012
6ª reimp.:	1997	6ª reimp.:	out. 2012
7ª reimp.:	1998	7ª reimp.:	abr. 2013
8ª reimp.:	1999	8ª reimp.:	dez. 2013
9ª reimp.:	2000		
10ª reimp.:	2001		
11ª reimp.:	2002		

Dados Internacionais de Catalogação na Publicação (CIP)
(Câmara Brasileira do Livro, SP, Brasil)

Sherrer, Quin
  Como orar por seus filhos / Quin Sherrer; tradução Hagar Caruso. — 2. ed. — São Paulo: Editora Vida, 2009.

  Título original: *How to Pray for Your Children*.
  Bibliografia.
  ISBN 978-85-7367-190-2

  1. Mães — Vida religiosa 2. Mães e filhos 3. Oração de intercessão — Cristianismo 4. Pais — Vida religiosa I. Título.

09-01977 CDD-248.32

Índice para catálogo sistemático:

1. Oração pelos filhos : Cristianismo 248.32

Agradecimentos

Desejamos expressar nosso apreço pela permissão de usar parte do material de *Como orar por seus filhos*, de QUIN SHERRER, publicado por Agape Ministries, 2.600 Park Avenue, Titusville, Flórida, 32.780.

Nossos agradecimentos especiais também ao Rev. Peter Lord, pastor da Igreja Batista de Park Avenue, de Titusville, Flórida, que, com sua esposa Johnnie, nos deu permissão para contar algumas de suas lutas e vitórias na educação de cinco filhos; e a todos os pais que se dispuseram a ser transparentes em partilhar suas histórias.

Sumário

Prefácio 9
Introdução 13
1. Orando pelos filhos 15
2. Orando pelas famílias 20
3. A entrega de nossos filhos 24
4. Orando com eficácia 30
5. Orando em concordância 50
6. Orando pelos amigos de nossos filhos 56
7. Orando pelos que exercem autoridade sobre nossos filhos 63
8. Orando no espírito 69
9. Orando durante a batalha 74
10. Orando na hora da dificuldade 81
11. Orando pelos filhos obstinados 91
12. Orando com fé 100
13. Orando pelos filhos obedientes 105
14. Orando pelos filhos casados 120
15. Orando pelos filhos deficientes 124
16. Orando pelos filhos no ventre 131

17. Orando pelos filhos cronicamente doentes e moribundos 136
18. Orando pelos netos 146
19. Orando sem sentimento de culpa 153
20. Deixando um legado de oração 155

Prefácio

Foi há vinte anos que percebemos manifestar-se em nosso quarto filho a incapacidade para a leitura. Ao completar seu primeiro ano de estudos, tornou-se óbvio que algo estava errado. Então o matriculamos numa escola cristã, onde ele repetiu o primeiro ano. Foi um desastre. Não fez maior progresso do que no jardim da infância.

Submetemos nosso filho a testes. Embora ele tivesse QI alto, os testes revelaram certas deficiências de aprendizagem, que lhe dificultavam a leitura e a escrita. Nós o colocamos sob os cuidados de um especialista em leitura, contratamos um professor particular, enviamos nosso filho a clínicas especializadas e fizemos com que usasse óculos durante um ano. E mais: ainda o matriculamos numa classe onde ele passava horas agonizantes colocando cavilhas nos furos, andando entre barras e arrastando-se sob cordas esticadas quase rentes ao chão. Chegamos até a levá-lo a um culto de curas de Kathryn Kulhman. Nada parecia funcionar. De volta à escola pública, os professores não conseguiram ir muito além de fazê-lo acompanhar a classe — muito embora ele mal pudesse ler e escrever.

Quando ele estava no quarto ano, percebi que não podia depender de mais ninguém para ajudá-lo. O caso agora era com Deus. E comigo.

Minha parte era orar.

A parte de Deus, curar.

Aos poucos fui entendendo que, embora pudesse curá-lo instantaneamente, Deus tinha algo mais em mente: desejava ensinar-me a orar por meu filho — e desejava que meu filho aprendesse a receber meu amor e a apreciar minhas orações. Durante os dez anos subsequentes, estando eu em casa, nunca deixei passar uma noite sem ir ao seu quarto quando se deitava; então, sentava-me ao lado de sua cama, conversava e orava com ele.

A conversa era importante. Eu queria que ele soubesse que, independente de suas dificuldades, a mamãe e o papai — e seu irmão e suas irmãs — orgulhavam-se dele. Não o culpávamos por seu problema nem o víamos em nada diferente das outras crianças. Aos nossos olhos, ele era simplesmente nosso filho. Se o dia lhe era adverso, eu o incentivava. Queríamos que soubesse o quanto o amávamos e necessitávamos dele em nossa família. Queríamos que os últimos pensamentos a

Prefácio

penetrar-lhe a mente antes de dormir — os pensamentos que influenciariam seu subconsciente durante a noite — fossem positivos.

Estou convencida, porém, de que embora o incentivo dos pais o mantivesse bem ajustado socialmente e o conduzisse a um profundo relacionamento de amor com a família, eram as orações que produziam a cura.

Dois anos depois de haver concluído a escola secundária (graças a um esplêndido professor que o considerou um projeto especial e o ajudou a formar-se, embora sua leitura estivesse apenas no nível do quarto ano), ele veio a mim e disse:

— Papai, serei sempre um trabalhador comum, a não ser que ingresse na faculdade, como os demais rapazes da família. Desejo cursar Agronomia e aprender a trabalhar com animais.

De novo o incentivamos, ainda que tudo estivesse contra ele. Dessa vez minha esposa e eu tivemos de orar por ele *in absentia* enquanto ele lutava, juntamente com sua fiel esposa, para dominar os textos sobre horticultura, anatomia animal e administração agrícola, ouvindo fitas gravadas. Ele perseverou, todavia. E Deus respondeu às nossas orações.

Ao diplomar-se, seu nível de leitura já era de faculdade. Hoje ele tem um ótimo emprego como administrador de uma fazenda de pecuária e é responsável por animais premiados, que valem dezenas de milhares de dólares cada um.

Orgulhosos de nosso filho? Acertou! Muito mais do que isso, porém, Jackie e eu somos gratos a um Deus amoroso e fiel, que responde às orações dos pais pelos filhos.

JAMIE BUCKINGHAM
Palm Bay, Flórida

Introdução

Há hoje em dia mães cristãs que sofrem por seus filhos. Choram por filhos e filhas que fugiram do lar, por filhas grávidas, mas não casadas, por filhos envolvidos com drogas, promiscuidade ou atividades ocultistas.

Não faz muito tempo, passei a noite no lar de um casal cristão cujo filho de 28 anos acabara de deixar o emprego com boa remuneração, por estar com a mente perturbada. A doença mental, outrora rara entre os jovens, já deixou de ser incomum. De fato, pesquisas recentes mostram que mais da metade das pessoas que sofrem dessa enfermidade estão agora na casa dos 20 anos, ou são até mais jovens.

No Texas, uma senhora trouxe a filha de 16 anos para ouvir-me numa reunião. Mais tarde, a moça confessou-me que se envolvera na adoração a Satanás. Outra mãe, na mesma oportunidade, pediu-me oração por seu filho, que acabara de ser condenado a quinze anos de prisão por homicídio.

Tenho amparado mães em meus braços e chorado junto com elas perante o Senhor pelos filhos

— delas e meus —, de modo que sei como a desesperança parte os corações.

Certa ocasião, ao achar-me deprimida por causa de um de nossos filhos, apanhei um livro de uma escritora cristã muito conhecida. Pela primeira vez ela confessava o afastamento de sua única filha, durante quatro anos. Disse que agora podia escrever sobre o assunto, porque o relacionamento entre ambas fora restaurado. A filha, agora feliz, estava casada com um jovem cristão que possuía todas as qualidades que sua mãe desejava em seu futuro genro. Quanta esperança me trouxe esse testemunho!

Mães, coragem! Não importa quão desesperadas estejam, quão insolúvel pareça a situação — Deus tem a resposta. Ele deseja novamente acolher em seus braços nossos filhos perdidos, arruinados. A fim de realizar essa obra, ele necessita de nossas orações.

O intercessor deve amar a ponto de tomar o lugar do outro. Somente a mãe, o pai ou os avós — ou Deus — podem entender a profundidade do amor paternal.

CAPÍTULO UM

Orando pelos filhos

> [...] *Jesus* [...] *lhes disse: Deixem vir a mim as crianças* [...]. *Em seguida, tomou as crianças nos braços, impôs-lhes as mãos e as abençoou.*
>
> (MARCOS 10.14,16)

"Como é que você consegue fazer isso? Onde arranja energia para enfrentar essas ondas?", perguntou uma turista a meu filho Keith, numa sufocante manhã de verão. Ela o observara puxar o quarto nadador em aflição do refluxo da maré do Golfo.

Keith, exausto na praia, ao lado de seu posto de salvamento, tomou fôlego e, com os olhos semicerrados por causa do sol, olhou-a firme. "Senhora, sei que tenho alguém orando por mim quase constantemente — minha mãe."

Lamento ter de admitir que nem sempre ele poderia dizer aquilo, porque durante anos fui alguém disposta a orar somente nos momentos de crise. Quando meus filhos adoeciam, eu tentava barganhar com Deus, prometendo-lhe toda tipo de coisa se ele ao menos honrasse minha oração.

O restante das vezes eu proferia orações que, no geral, pediam apenas: "abençoe-nos".

Em algum ponto ao longo do caminho, finalmente percebi que, se Deus me deu três filhos, pondo-os sob minha responsabilidade, era meu o privilégio de vir mais vezes rogar a Deus em favor deles. Mas, honestamente, eu não sabia como fazer isso. A oração tinha de ter dimensão mais profunda do que aquela que eu experimentava. Dessa maneira, iniciei uma peregrinação de oração por iniciativa própria — examinando a Bíblia e ouvindo outros a orar. Aonde eu ia, perguntava às mães: "Como é que você ora por seus filhos?".

Nos doze anos que se seguiram, descobri alguns procedimentos básicos que me têm ajudado, e aqui os passo a você. As diretrizes a seguir se comprovaram eficientes a muitos pais:

Ajudas para a oração

1. Seja específica. Lembre-se de que o cego disse especificamente a Jesus: "Mestre, eu quero ver".

2. Ore passagens da Escritura em voz alta. O fato de ouvirmos nossa própria voz citar a Palavra de Deus desperta-nos a fé. A Bíblia diz: "[...] a fé vem por se ouvir a mensagem, e a mensagem é ouvida mediante a palavra de Cristo" (Romanos 10.17). A leitura da Bíblia, embora não seja

nenhuma fórmula mágica, proporciona-nos bons padrões de oração. Considere os ensinos de Jesus sobre o verbo *dizer*:

> Eu lhes asseguro que se alguém disser a este monte: "Levante-se e atire-se no mar", e não duvidar em seu coração, mas crer que acontecerá o que diz, assim lhe será feito (Marcos 11.23).

Quando oramos com as expressões da Escritura acerca de nossos filhos, o poder da Palavra de Deus expulsa a ansiedade e o medo e produz fé em nós. Um professor de Bíblia explicou esse fato nestes termos: "As coisas que dizemos são aquelas nas quais finalmente creremos, e as coisas em que cremos são as que finalmente receberemos".

3. Anote suas orações numa caderneta e o dia do seu pedido. Depois, registre quando e como o Senhor respondeu. Isso, também, fortalece a nossa a fé.

Depois que Moisés quebrou as tábuas de pedra, Deus reescreveu os mandamentos, mostrando assim o quanto era importante que sua aliança com Israel estivesse escrita. Na Bíblia encontramos o registro de profecias que devemos ler com o propósito de entender os caminhos de Deus. Lemos em Salmos 102.18: "Escreva-se isto para as futuras gerações, e um povo que ainda será criado louvará o Senhor".

Deus deu uma visão ao profeta Habacuque e ordenou-lhe que a registrasse como testemunho para o fim dos tempos. Estamos sujeitos a nos esquecer do que Deus diz, mas, se anotamos suas palavras, teremos a prova, bem como a terão nossos filhos e netos, de nosso relacionamento com Deus, e por isso eles louvarão o Senhor.

4. Peça a Deus aquilo que está no coração dele, e ore as orações dele por nossos filhos.

5. Lembre-se de que algumas orações serão de "espera". Se oramos pelos futuros companheiros de nossos filhos ou pela escolha de sua escola superior enquanto ainda são muito jovens, naturalmente teremos de esperar as respostas.

Comecemos agora a orar pelo futuro.

Catarina, jovem mãe, escrevia suas "orações de espera" em pedaços de papel em formato de ovo, colocava-os dentro da Bíblia e depois pedia: "Senhor, choque-as na ocasião oportuna e perfeita". Cerca de quinze anos mais tarde, quando sua família foi enriquecida com uma bela nora cristã, ela se regozijou com o maravilhoso fruto de suas "orações de espera".

Nós, ao semearmos "orações de espera", devemos imitar o prudente hortelão, que planta pequeninas sementes e tem o bom senso de não escavá-las de poucos em poucos dias para ver se a safra está a caminho. Esperemos a resposta divina no tempo que ele achar oportuno.

Além dessas sugestões, tenho descoberto, de forma inesperada, outros estimulantes e proveitosos modos de orar. Nem sempre eles vêm com facilidade. Alguns têm vindo por tentativa e erro, outros por choro e grande sofrimento. De quando em quando, esses versículos da Bíblia parecem saltar da página diretamente para mim, tornando-se minhas próprias orações pessoais. As orações de barganha, já aprendi, não são aceitáveis.

"As mães são melhores intercessoras porque amam mais e sofrem mais", escreveu certa vez um sábio.

Mães como Maria, mãe de Jesus, são "mensageiras de Deus". É dos lábios delas que os filhos ouvem pela primeira vez acerca de Deus e aprendem as primeiras orações. Que possamos compreender o privilégio especial, peculiar, que temos de orar por filhos, netos, sobrinhas, sobrinhos e pelas crianças vizinhas. Não importa a idade; Deus as ama e não quer que nenhuma delas pereça.

A afirmação de meu próprio filho a respeito de minhas orações, no verão em que trabalhava de salva-vidas, ensinou-me que orar pelos filhos é um privilégio.

CAPÍTULO DOIS

Orando pelas famílias

> [...] *Creia no Senhor Jesus, e serão salvos, você e os de sua casa.*
>
> (Atos 16.31)

Quantos de nós temos lido esse versículo, suspirado e dito: "Oh, quem me dera isso fosse verdade em minha vida. Quem me dera minha crença no Senhor pudesse assegurar que toda a minha casa fosse salva!".

"Senhores, que devo fazer para ser salvo?", perguntou o carcereiro filipense a Paulo e Silas, depois que o Senhor os livrara, de modo sobrenatural, das correntes na prisão. "Creia no Senhor Jesus, e serão salvos, você e os de sua casa", responderam eles (Atos 16.31). Naquela mesma noite o carcereiro e toda a sua casa creram.

Paulo deu nova esperança aos cristãos quando escreveu que um marido ou esposa não cristãos são santificados pelo cônjuge cristão. "[...] se assim não fosse, seus filhos seriam impuros [pagãos ímpios, alheios à aliança cristã], mas agora são santos" (1Coríntios 7.14).

O pai pode falar em nome da casa, conforme o exemplifica a declaração de Josué: "[...] eu e a minha família serviremos ao SENHOR" (Josué 24.15).

A salvação de toda a família tem seu começo no Antigo Testamento. No capítulo 12 de Êxodo, ao instruir acerca da Páscoa e de como tiraria seu povo do Egito, disse o Senhor: "[...] todo homem deverá separar um cordeiro ou um cabrito, para a sua família, um para cada casa" (v. 3). O sangue do cordeiro nas laterais e vigas superiores da porta evitava que a praga da destruição entrasse na casa do povo escolhido. Hoje sabemos que o Cordeiro da Páscoa é Jesus Cristo e que nós somos os israelitas espirituais. Quando estamos em correta relação com ele, nossa casa está incluída em suas promessas.

Do mesmo modo que os judeus primitivos, devemos conservar suas palavras em nossa família: "Ensine-as com persistência a seus filhos [...]" (Deuteronômio 6.7). Se assim procedermos, poderemos esperar que Deus faça a sua parte e atraia nossos filhos a si próprio.

Outro versículo do Antigo Testamento oferece segurança às nossas famílias: "[...] derramarei do meu Espírito sobre todos os povos [...]". Quando Joel fala de filhos e filhas, velhos e jovens, e de servos, ele faz referência a famílias inteiras (Joel 2.28,29).

Quando lemos: "Pois a promessa é para vocês, para os seus filhos [...]" (Atos 2.39), precisamos ter em mente que essa promessa se destina tanto às gerações presentes quanto às futuras.

Quando os pais trouxeram seus filhinhos a Jesus para que ele lhes impusesse as mãos, os discípulos os repreenderam. Jesus indignou-se. "[...] Deixem vir a mim as crianças, não as impeçam; pois o Reino de Deus pertence aos que são semelhantes a elas", disse ele. "Digo-lhes a verdade: Quem não receber o Reino de Deus como uma criança, nunca entrará nele" (Marcos 10.14,15). Jesus tomou as crianças em seus braços, impôs-lhes as mãos e as abençoou.

Entendo que essa "bênção" era um costume judaico, no Dia da Expiação. Os nenezinhos e as crianças eram trazidos pelos pais aos anciãos e aos escribas, a fim de receberem a oração e a bênção.

Talvez os discípulos pensassem que Jesus não pretendesse continuar esse costume. Mas ele disse: "Deixem vir a mim as crianças, não as impeçam". Jesus as aceitou e as abençoou. Em certo sentido ele reafirmava a aliança espiritual feita por Deus com os israelitas e reconhecia as crianças como parte da família da aliança.

Assim acontece conosco quando obedecemos à Palavra de Deus.

Orando pelas famílias

Os versículos a seguir têm impulsionado muitos pais à oração. Peça a Deus que os torne reais para você:

1. "Pois a promessa é para vocês, para os seus filhos e para todos os que estão longe, para todos quantos o Senhor, o nosso Deus, chamar" (Atos 2.39).
2. "Todos os seus filhos serão ensinados pelo Senhor, e grande será a paz de suas crianças" (Isaías 54.13).
3. "[...] derramarei meu Espírito sobre sua prole, e minha bênção sobre seus descendentes" (Isaías 44.3).
4. "[...] mas a semente dos justos escapará" (Provérbios 11.21, *ARC*).
5. "Livrará até o que não é inocente, que será liberto graças à pureza que há em você, nas suas mãos" (Jó 22.30).
6. " 'Quanto a mim, esta é a minha aliança com eles', diz o Senhor. 'O meu Espírito que está em você e as minhas palavras que pus em sua boca não se afastarão dela, nem da boca dos seus filhos e dos descendentes deles, desde agora e para sempre', diz o Senhor" (Isaías 59.21).
7. "Mas o amor leal do Senhor, o seu amor eterno, está com os que o temem, e a sua justiça com os filhos dos seus filhos" (Salmos 103.17).

CAPÍTULO TRÊS

A entrega de nossos filhos

*Os filhos são herança do Senhor,
uma recompensa que ele dá.*

(Salmos 127.3)

Um pastor fez uma pausa em meio à cerimônia de casamento de seu filho, olhou para o santuário, limpou a garganta, e disse:

— Meus amigos, tenho algo que desejo partilhar com vocês. Hoje à tarde minha esposa e eu trouxemos todos os nossos filhos ao altar da igreja. Enquanto eles estavam aqui ajoelhados, literalmente, demos os cinco de volta a Deus. Visto que nosso primeiro filho está agora deixando o lar, dissemos ao Senhor: "Reconhecemos que somos apenas guardiões dessas crianças. Nós as consagramos ao Senhor de uma vez por todas".

Remexi-me em meu banco. Nunca antes ouvira nada semelhante, principalmente numa cerimônia de casamento.

— Deus diz em sua Palavra — continuou o pastor — que os filhos são herança do Senhor.

A entrega de nossos filhos

Assumo os nossos como dons que o Senhor nos confiou por algum tempo.

Durante alguns dias não conseguia me esquecer do que o ministro disse a respeito de consagrar seus filhos a Deus. Lembrava-me com clareza das ocasiões quando meu marido e eu apresentamos nossos três filhinhos ao Senhor. Mas será que havíamos realmente dedicado esses filhos a Deus?

Algumas semanas depois desse casamento, enquanto lia o Antigo Testamento, uma passagem pareceu saltar da página para o meu coração. Era a "oração de entrega", na qual Ana devolvia ao Senhor seu filhinho Samuel. "Por toda a sua vida será dedicado ao Senhor" (1Samuel 1.28).

Tocada por esse gesto, interrompi a leitura e repeti a oração como se fosse minha, inserindo nela os nomes de nossos três filhos. Ali, pensei, eu os tinha devolvido a Deus.

Mal sabia por que prova iria passar, nove anos mais tarde, quando Keith, nosso filho já moço, foi dado como perdido no mar. Enquanto fitávamos ao longe as ondas negras cobertas de espuma, tarde da noite naquele verão, meu marido agarrou-me o braço e orou: "Deus, tu sabes que consagramos Keith ao Senhor. Ele foi batizado neste mesmo golfo, a seu pedido, há dois anos. Nós o entregamos totalmente ao Senhor — morto ou vivo".

Meu coração rogava: "Ó Jesus, não permita que ele morra. Encontre-o para nós".

Enquanto caminhávamos pela praia e orávamos, finalmente cheguei a um ponto onde consegui entregá-lo incondicionalmente ao seu Criador. Quanta gratidão senti quando ele foi encontrado, são e salvo, antes de raiar o dia.

Vicky, mãe de sete filhos, residente na Dakota do Sul, escreveu-me a respeito de sua experiência de "entrega".

— Pouco mais de um ano depois que eu nasci de novo — diz ela — meu marido e eu enfrentamos um problema crucial com o crescente mau comportamento e desobediência de nosso filho de 14 anos. Conversamos com ele, discutimos com ele e o castigamos, com pouco efeito visível. Sua mente estava como concreto. Certa noite, enquanto me preparava para me deitar, assentei-me na beirada da banheira e disse: "Deus, não há mais nada que meu marido e eu saibamos fazer por esse filho. Eu o entrego ao Senhor — completamente".

Vicky chama essa atitude de "libertação total". Dentro de três semanas resolveu-se a situação impossível na qual seu filho se envolvera.

— Indiscutivelmente, Deus veio em nosso favor — diz ela. — Esse filho foi um dos primeiros

A entrega de nossos filhos

a pedir a Jesus que fosse seu Salvador. Na verdade, dentro de seis meses, toda a minha família, incluindo meu marido, sete filhos, duas noras e a noiva de um dos filhos, foram todos salvos e cheios do Espírito Santo. Não foram minhas orações esmeradas, mas a Palavra de Deus cumprida na vida de uma cristã. "[...] A oração de um justo [homem ou mulher] é poderosa e eficaz", lemos em Tiago 5.16 — conclui ela.

A consagração de nossos filhos a Deus acarreta grandes responsabilidades. Significa que não somente dependeremos do Senhor para nos ajudar a criá-los, mas também que aceitaremos esses filhos exatamente como Deus os fez.

Tenho conhecido algumas mães — até cristãs — que alimentam grandes ressentimentos para com os filhos. Um nenê acabou com a promissora carreira profissional de sua mãe; outra criança trouxe à mãe tal pesar de coração, que interiormente ela a odiava. "Gostaria que ele nunca tivesse nascido!", exclamava.

Jesus disse que, se desejarmos ver nossas orações respondidas, devemos perdoar. "E quando estiverem orando, se tiverem alguma coisa contra alguém, perdoem-no, para que também o Pai celestial lhes perdoe os seus pecados" (Marcos 11.25).

Nunca é tarde demais para honestamente pedirmos a Deus que perdoe nosso ressentimento, nossa falta de aceitação ou nossa falha em amar a um filho. Deus nunca nos pede algo sem dar-nos o poder de realizá-lo. Assim, podemos pedir também que ele nos dê seu amor por esses filhos.

Cristo ordenou: "[...] Amem-se uns aos outros como eu os amei [...], a fim de que o Pai lhes conceda o que pedirem em meu nome" (João 15.12,16).

Aprendemos a orar por nossos filhos 1) devolvendo-os a Deus, 2) perdoando-os e 3) amando-os.

Talvez você deseje usar um simples exercício de pensamento, para soltar seu filho. Retrate Jesus em sua mente. Veja seu filho — pequeno ou crescido — com ele. Talvez caminhem juntos por uma estrada poeirenta, Jesus com o braço ao redor de seu filho. Imagine-os sentados sob uma árvore conversando, ou dirigindo-se a um lago para pescar. Monte seu próprio cenário. Mas veja Jesus cuidando de cada necessidade desse filho e veja também o afetuoso relacionamento pessoal fluindo entre os dois. Então, afaste-se e deixe seu filho ali.

Um terapeuta cristão enviou-me, a título de cooperação, um modelo de oração pelos filhos usado por um grupo de cristãos que se reúnem em lares.

A entrega de nossos filhos

Consagração

Deus Pai, unidos contigo pelo nascimento, morte e ressurreição de teu Filho Jesus, e unidos como uma só pessoa em nosso casamento:

1. Damos-te graças por nossos filhos _____
_____.

2. Pedimos-te perdão por todos os pecados de ação ou de omissão contra _____.

3. Recebemos esse perdão e rejeitamos qualquer acusação, condenação ou sentimento de culpa procedentes de Satanás.

4. Quebramos agora qualquer maldição ou acusação satânica que tenha escravizado nossos filhos. Fazemos isso na autoridade e pelo poder de Jesus Cristo.

5. Com fé, nós os entregamos ao teu cuidado vigilante. Amém.

P.S.: Se é o único pai (ou mãe) cristão em sua casa, você também tem autoridade para fazer essa oração em favor de seus filhos.

CAPÍTULO QUATRO

Orando com eficácia

Mas quando você orar, vá para seu quarto, feche a porta e ore a seu Pai, que está em secreto. Então seu Pai, que vê em secreto, o recompensará.

(MATEUS 6.6)

Você tem um lugar secreto onde possa permanecer a sós com Deus — uma cadeira especial, um local no jardim, um cantinho privado, uma escrivaninha particular?

Os Evangelhos nos falam, com frequência, que Cristo se retirava a um lugar solitário para orar. "Tendo despedido a multidão, subiu sozinho a um monte para orar [...]" (Mateus 14.23). Lucas menciona as orações de Jesus onze vezes.

Nós, também, antes de sermos canais de intercessão por nossos filhos, devemos sentar-nos a sós na presença do Pai. A solitude e o silêncio ajudam-nos a orar com maior eficácia.

Encontramos na Bíblia diversas outras chaves para a oração eficaz:

Orando com eficácia

Conhecer a vontade de Deus

Esta é a confiança que temos ao nos aproximarmos de Deus: se pedirmos alguma coisa de acordo com a vontade de Deus, ele nos ouvirá. E se sabemos que ele nos ouve em tudo o que pedimos, sabemos que temos o que dele pedimos. (1João 5.14,15).

De que modo conhecemos a vontade de Deus? Lendo sua Palavra e meditando nela. Em sua Palavra, o Senhor diz, por exemplo, que o Pai celeste "não quer que nenhum destes pequeninos se perca" (Mateus 18.14). Por isso oramos com fé para que nossos filhos se tornem cristãos, certos de que estamos em harmonia com a perfeita vontade de Deus.

Crer que ele ouve e responde às nossas orações

Jesus nos diz: "[...] Tudo o que vocês pedirem em oração, creiam que já o receberam, e assim lhes sucederá" (Marcos 11.24).

Orar em nome de Jesus

Jesus nos assegura: "[...] Eu lhes asseguro que meu Pai lhes dará tudo o que pedirem em meu nome" (João 16.23).

Agora podemos entrar triunfantemente em nosso momento de oração com ele. Mais do que nunca, estou convencida da necessidade de separar um tempo específico cada dia para estar com o Senhor. Comecei com apenas quinze minutos, aumentei para trinta e, pouco tempo depois, eu queria estendê-lo ainda mais.

Como esposas, mães e avós ativas, às vezes nos queixamos da falta de tempo para orar. Enviamos ao alto "orações de minuto", como setas espirituais, enquanto nos sentamos em salas de espera ou à escrivaninha, passamos roupa ou dirigimos o automóvel. Embora essas orações sejam recomendáveis, Deus deseja também estar conosco todos os dias em um momento destinado a esse fim.

Qualquer que seja a hora separada para esse fim — tarde ou noite —, convém termos em mãos papel, caneta e Bíblia. Assim podemos registrar nossas orações e as respostas de Deus. Nenhuma "hora tranquila" estará completa até que tenhamos não só conversado com Deus, mas também ouvido a voz dele. Visto que todos somos diferentes uns dos outros, não há como dois de nós usarmos as mesmas técnicas em nossos momentos de devoção pessoal.

Conquanto inexistam fórmulas estabelecidas para a oração, tenho encontrado algumas ajudas práticas que enriqueceram meus momentos de oração íntima com Deus. Talvez ajudem a você também:

Ajudas práticas

Mantenho um "livro de oração" pessoal, uma caderneta de folhas destacáveis, do tamanho 17 x 22 cm, que eu preencho com pedidos de oração, palavras de louvor, relatos de orações respondidas, e observações acerca de lições aprendidas por meio da oração ou da leitura bíblica. Estou continuamente retirando umas folhas e colocando outras.

Na primeira página, coloquei um retrato de nossa família — tirado após um culto de domingo de Páscoa, quando estávamos todos vestidos com a melhor roupa e exibíamos sorrisos radiantes. É essa imagem positiva que desejo manter sempre diante de mim e do Senhor. Logo abaixo do retrato escrevi uma paráfrase de Efésios 1.17, que cito diariamente quando oro por nossa família:

> Para que o Deus de nosso Senhor Jesus Cristo, o Pai glorioso, nos dê o Espírito de sabedoria e de revelação, de sorte que possamos conhecê-lo melhor.

A seguir, destino uma página a cada membro da família. Ao alto escrevo orações da Escritura, bem como orações práticas que faço, diariamente, a favor de cada filho. Muitas vezes registro a data ao lado do pedido. Mais tarde acrescento o dia e o modo como Deus respondeu. Essa prática me tem ensinado muito a respeito do perfeito tempo de Deus.

Se estou orando por uma filha que se encontra longe do lar e que necessita de novo apartamento com mais espaço, trago essa necessidade perante o Senhor e, dia a dia, dou-lhe graças pela provisão. Quando ele o faz, escrevo: "Obrigada, Senhor", e risco a petição. Esse exercício estimula a minha fé.

Minha caderneta está dividida em diferentes dias da semana, de modo que posso orar por irmãos na fé, amigos não salvos, autoridades, missionários e parentes. Como tenho a necessidade de visualizar as pessoas, colo fotos, muitas delas recortadas de revistas, das muitas pessoas pelas quais oro durante a semana, pessoas como o presidente, os ministros dos tribunais de justiça e os líderes estrangeiros. Não sou escrava da caderneta, mas a considero um veículo útil, que conservo ao lado da Bíblia em minha entrevista diária com o Senhor.

Nessa hora íntima, às vezes Deus me fala por meio da leitura da Bíblia. Certa vez, numa provação pessoal com um de nossos filhos, li a passagem em que os discípulos clamaram pelo auxílio de Jesus, enquanto seu barco era vergastado por violenta tempestade.

"Onde está a vossa fé?", perguntou-lhes o Senhor.

Sim, pensei, onde estava a sua fé? Jesus lhes havia dito que entrassem no barco e fossem para o outro lado do lago. Sua palavra era digna de confiança, não era? Não estava ele junto deles? Por que se preocupavam?

Então o Senhor falou ao meu espírito: "Onde está a tua fé? Não te prometi que todos os teus filhos serão ensinados pelo Senhor? Não te disse que eu os trago de volta da terra do Inimigo? Não confias em mim quanto aos planos que tenho para eles? Eu lhes darei um futuro, não uma calamidade".

Como essas palavras me penetraram o coração!

Na realidade, esses versículos jaziam adormecidos em meu coração por longo tempo, embora eu necessitasse de que me fossem trazidos de volta à memória. Claro, o Senhor havia prometido. E em certo sentido ele está sempre "em meu barco", a despeito de minhas turbulentas tempestades.

Cito versículos bíblicos em voz audível como orações, porque Deus prometeu que sua Palavra não voltará para ele vazia. Proferir sua Palavra em voz alta fortalece minha fé naquele que opera todas as coisas, tanto em meu benefício como em benefício de meus filhos.

Talvez você deseje ter em mãos uma caderneta e anotar nela quaisquer impressões que o Senhor lhe dê durante o tempo que passa com ele. Se você nunca fez isso antes, verificará como é interessante.

Sei da esposa de um pastor que colocou esse plano em prática tendo em mente sua filha Susana, adolescente rebelde. Ela pediu a Deus que lhe mostrasse como amar a Susana e ao mesmo tempo ensinar-lhe a corresponder a esse amor.

Sempre que lhe vinham pequenos pensamentos relacionados com Susana, ela os anotava num caderno. Por exemplo: "Não vá à quitanda enquanto Susana não puder ir com você. Não compre as roupas de Susana sem a escolha dela. Deixe Susana ajudar você a preparar o jantar. Prepare um dos pratos prediletos dela".

Essas ideias podem parecer insignificantes, mas, à medida que começou a colocá-las em prática, essa mãe notou um abrandamento em Susana. Aos poucos a atitude da filha mudou, ocorrendo o mesmo com sua aparência. Seu corpo se tornou esbelto e sua personalidade floresceu.

Não foi, de forma alguma, um milagre ocorrido da noite para o dia, mas uma metamorfose lenta.

A mãe aprendeu uma lição significativa: "Deus não removeu a obstinação de Susana, ele apenas a converteu naquilo para o que a havia posto ali em primeiro lugar. Ela entregou a vida inteiramente ao Senhor e se tornou forte em suas convicções. Na realidade, ela deixou de ser rebelde, suas companhias já não conseguem desviá-la e, pelo contrário, está aconselhando muitos de seus amigos problemáticos".

Hoje, casada com ótimo cristão e muito feliz, Susana mal consegue lembrar-se desse período difícil em sua vida.

Oh, que momentos especiais nos aguardam em nossas horas secretas de oração! Como nosso Pai anseia ouvir nossas orações a favor de nossos filhos!

Quero citar uma oração da Sra. Johnnie Lord, esposa de pastor.

"Senhor, desejo que teu amor flua livremente hoje através de mim, por isso, enche-me a mente com os meios de alcançar em amor os membros de minha família."

A seguir, encontram-se algumas intercessões bíblicas que eu oro por meus filhos:

Dedicação

Senhor, como fizeste com Ana, toma esta minha criança. Eu a dou a ti. Por toda a sua vida ela será dada a ti (1Samuel 1.28).

Salvação

Pai, tu não desejas que _____ se perca, mas que esta criança chegue ao arrependimento. Senhor Jesus, dou-te graças porque vieste salvar os perdidos, incluindo _____ e a mim. Agradeço-te antecipadamente a salvação de _____ (Mateus 18.14; 2Pedro 3.9).

Livramento

Pai, dou-te graças porque livrarás _____ do maligno e o guiarás nos caminhos da justiça por amor do teu nome (Mateus 6.13; Salmos 23.3).

Perdão

Dou-te graças, Pai, porque o sangue de Jesus nos purifica de todo pecado. Dou-te graças porque _____ pediu teu perdão e tua purificação. Agora ajuda _____ a esquecer-se do que ficou para trás e a avançar rumo ao que está adiante, prosseguindo para o alvo, a fim de ganhar o prêmio para o qual Deus o(a) chamou em Cristo Jesus (1João 1.7,9; Filipenses 3.13,14).

Futuro

Dou-te graças, Senhor, porque conheces os teus planos para _____, planos que visam à prosperidade dele(a) e não seu mal, que dão a _____ esperança e futuro. Oro para que _____ não ande no conselho dos ímpios, nem se detenha no caminho dos pecadores, nem se assente na roda dos zombadores. Oro para que o prazer de _____ esteja na lei do Senhor e que nela medite de dia e de noite (Jeremias 29.11; Salmos 1).

Saúde

Pai, dou-te graças porque Jesus tomou sobre si nossas enfermidades e sobre si levou nossas doenças. E te dou graças porque pelas suas pisaduras fomos sarados. Oro para que em todos os aspectos _____ possa gozar de boa saúde e que tudo lhe corra bem, assim como tudo vai bem com a sua alma. Agradeço por tua promessa de sustentar _____ em seu leito de enfermidade e restaurar _____ de seu leito de doença (Isaías 53.4,5; 3João 2; Salmos 41.3).

Vida de trabalho

Senhor, enche _____ com o conhecimento da tua vontade, por meio de toda a sabedoria e entendimento espirituais, de maneira que ele(a) viva uma vida digna de ti, para agradar-te de todas as formas (Colossenses 1.9,10).

Maturidade

Querido Pai, que _____ possa, à semelhança de teu Filho Jesus, crescer em sabedoria, estatura e graça diante de ti e daqueles que sua vida tocar. Dá a _____ ouvido atento às instruções paternas. Ajuda-o(a) a prestar atenção e assim adquirir entendimento (Lucas 2.52; Provérbios 4.1).

Necessidades

Dou-te graças, querido Pai, porque suprirás todas as necessidades de _____, segundo as tuas gloriosas riquezas em Cristo Jesus (Filipenses 4.19).

Proteção

Obrigada, querido Deus, porque ordenarás a teus anjos, no que concerne a _____, que o(a) guarde em todos os seus caminhos (Salmos 91.11).

Crescimento espiritual

Pai, dá a _____ o Espírito de sabedoria e de revelação, de modo que ele(a) possa conhecer-te melhor. Peço-te que os olhos do coração dele(a) sejam iluminados, a fim de que conheça a esperança para a qual o(a) chamaste, as riquezas de tua gloriosa herança nos santos e teu incomparável grande poder para nós que cremos. Oro para que Cristo habite em seu coração e que seja arraigado(a) e alicerçado(a) no amor (Efésios 1.17-19; 3.17).

Tentação

Dou-te graças, querido Pai, porque sabes como salvar _____ da tentação e das provações. Oro para que _____ resista aos desejos ruins da juventude e para que busque a justiça, a fé, o amor e a paz com aqueles que te invocam de puro coração. Oro para que ele(a) não se envolva em questões insensatas, porque sabemos que elas produzem contendas. Peço-te que _____ guarde puro o seu caminho, vivendo de acordo com a tua Palavra escondida em seu coração (2Pedro 2.9; 2Timóteo 2.22,23; Salmos 119.9-11).

Geral

Senhor, com ações de graça apresento-te hoje meus pedidos em favor de meus filhos, _____
_____
(citar os pedidos). Pronuncio-os com a minha boca, creio neles em meu coração e te dou graças antecipadamente por me ouvires. Oro em nome de Jesus (Filipenses 4.6; Marcos 11.23).

Oração pelo futuro companheiro de minha filha

Ó Deus, que ele ame ao Senhor de todo o seu coração, de toda a sua alma, de toda a sua mente e de todas as suas forças, e a Jesus como seu Senhor e Salvador pessoal (Marcos 12.29,30; Romanos 10.9).

Que ele ame a esposa com amor fiel, imorredouro, enquanto ambos viverem (Mateus 19.5,6).

Que ele reconheça seu corpo como templo do Espírito Santo e o trate com sabedoria (1Coríntios 16.19,20). Que ele seja saudável, capaz para o trabalho e sustente a família (1Timóteo 6.8).

Que ele tenha excelente objetivo na vida (Mateus 6.33).

Que ele use seus talentos com sabedoria e dê liberdade à sua esposa para servir-se daqueles que

Deus lhe deu. Que os talentos de um complementem os do outro. Que gostem de fazer as coisas juntos (Mateus 25.1,14-30).

Que ele estabeleça seu lar segundo a ordem prescrita por Deus, conforme delineada em Efésios 5.20-28.

Que ele seja forte de mente. Que os dois sejam intelectualmente compatíveis (2Coríntios 13.11; 1Timóteo 1.7).

Que ele seja bom administrador do dinheiro (1Timóteo 5.8; 6.10).

Senhor, envia esse companheiro para a vida de minha filha no teu tempo, que é perfeito. Que eles possam amar-se mutuamente e possam amar a ti, ó Deus, para que não haja dúvida de que tu os criaste um para o outro enquanto ambos viverem.

Em nome de Jesus. Amém.

Oração pela futura esposa de meu filho

Senhor, que ambos estejam no mesmo jugo (2Coríntios 6.14).

Que ela ame ao Senhor Deus de todo o seu coração, de toda a sua alma, de toda a sua mente e de todas as suas forças. Que ela abrace a Jesus como seu Salvador e Senhor pessoal (Marcos 12.29,30; Romanos 10.9).

Que ela ame meu filho com amor imorredouro enquanto ambos viverem; que ela lhe seja auxiliadora idônea (Gênesis 2.18).

Que ela seja rica de boas ações, generosa e hospitaleira (1Timóteo 6.18; Hebreus 13.2).

Que ela incentive meu filho diariamente (Hebreus 3.13).

Que ela use os talentos que Deus lhe deu no lar e na obra de seu Reino (Mateus 25.14-30).

Se o trabalho doméstico lhe parecer tarefa enfadonha, ajuda-a a reconhecer que tudo quanto fizer, por palavras ou atos, deve ser feito de todo o coração como servindo a ti (Colossenses 3.17,23).

Quando eles tiverem filhos, ajuda-a a ser boa mãe. Que seus filhos se levantem e lhe chamem bem-aventurada (Tito 2.4,5; Provérbios 31.28).

Mostra-lhe como preparar refeições nutritivas para a família. Se ela sentir necessidade de aprender algo sobre os afazeres domésticos, não permitas que ela se acanhe para pedir ajuda a cristãs mais experientes (Tito 2.3-5).

(P.S.: Ajuda-me a ser boa sogra para essa preciosa pessoa.)

Em nome de Jesus. Amém.

Meu diário de oração

Eis alguns apontamentos extraídos de meu diário de oração no decorrer dos anos.

Sara seu coração partido

Senhor, o coração de nossa filha está partido. Consola-a. Foi a primeira vez que sentiu o amor, e agora ele a deixou por outra. Ela está com o orgulho ferido. Sente-se rejeitada, sem valor algum. Ó Senhor, que ela reconheça que tu a amas e que nós também a amamos. Cura suas feridas. Traze à sua vida outros amigos cristãos que possam ajudá-la a encher o vazio deixado após perder seu amigo especial. Ajuda-a a colocar suas prioridades em ordem e a reconhecer que seu verdadeiro propósito na vida deve ser amar-te e agradar-te. Graças te dou por colocares teus braços eternos ao redor de nossa filha — tua filha.

Ajuda-o nos exames

Senhor, ele tem exame importante hoje. Estudou longas horas e com afinco. Entretanto, está ansioso, com tanta coisa na cabeça. Tranquiliza-lhe o espírito. Traz à sua mente todas as coisas que ele estudou e acumulou para esse momento. Ajuda-o a fazer o melhor ao seu alcance. Obrigada, Senhor.

Ajuda nossa filha a aceitar-se

Senhor, nossa filha é bem mais alta que as demais colegas de sua classe. Ela se sente como gigante. Mostra-lhe que tu a fizeste exatamente como ela é porque tinhas um propósito em mente. Tu sabes o que tens reservado para ela, não só em sua compleição física, mas também com relação às aptidões que lhe deste. Ela enfrenta uma dura luta neste momento para descobrir sua verdadeira identidade. Por favor, ajuda-a a ver que ela é especial e única, exatamente como é cada um de teus filhos.

Ajuda-me a ser uma incentivadora

Senhor, ele não está indo tão bem na escola como eu gostaria. Ajuda-me a aceitar seu ritmo. Embora eu preferisse melhores notas, livra-me de forçá-lo além de sua capacidade. Mostra-me como incentivá-lo, exatamente onde ele está.

Que ele me perdoe

Hoje perdi a calma e disse algumas coisas cruéis. Como eu gostaria de retirar tudo o que foi dito! Magoei meu filho com palavras. Ao pedir-lhe perdão, restaura nosso relacionamento, Senhor.

Ajuda-me a saber quando devo corrigir e quando devo silenciar-me. Senhor, desejo manifestar em minha vida os frutos do teu Espírito — amor, alegria, paz, paciência, bondade, benignidade, fidelidade, mansidão, domínio próprio.

Traze-a de volta

Ó Deus, desesperada observo nossa adolescente desviar-se de ti. Sabes que te consagramos essa filha quando ela nasceu. Lembro-me de quando eu era adolescente. Eu também questionava e me rebelava. Mas em teu tempo de amor me atraíste de volta a ti, mais forte, mais firme, mais segura do que nunca da realidade do Senhor ressurreto, meu Salvador. Faz o mesmo com nossa filha. Ó Deus, faz isso outra vez. Graças te dou porque respondes às orações das mães.

Companheira para o casamento

Senhor, esclarece-lhe se ela é realmente a pessoa que deve ser a companheira dele. Ajuda ambos a crescerem em ti, Senhor. Elimina suas arestas de modo que estejam preparados para o casamento. Se eles tiverem de ser parceiros nesta vida, eu te agradeço, Senhor. Se não, afasta-a dele sem que haja rejeição ou mágoa.

Demonstra tua grandeza

Hoje, para ela, é um grande dia no emprego — dia de apresentar-se perante os patrões. Atua poderosamente em favor dela, Senhor Deus dos Exércitos. Demonstra tua grandeza em sua vida, de modo que outros possam ver-te, Senhor. Protege-lhe o corpo, a mente e o espírito.

Orações de mudança

Ela planeja mudar de emprego dentro de dois meses. Ó Senhor, guia-a ao emprego de tua escolha, na cidade de tua escolha, onde ela possa usar sua instrução, habilidades e capacidade ao máximo de sua competência. Continua a liberar nela teu fluxo de criatividade. Guia-a, também, à igreja certa, às colegas de quarto certas e ao lugar de moradia certo. Eu te dou graças antecipadamente porque és Pai fiel, amoroso. Dou-te graças porque essa filha adulta continua a amar-te e a servir-te com seus dons.

Realiza tua vontade

Realiza hoje tua vontade na vida de meus filhos, Pai. Tem misericórdia deles segundo tua longanimidade.

Duas ofertas de emprego

Senhor, parece quase impossível. Oramos por novo emprego, e ele recebe duas ofertas. Dá-lhe sabedoria e discernimento para fazer a escolha certa. Obrigada, Senhor.

Louvor por oração respondida

Durante um culto, tu me revelaste nossos três filhos com os braços levantados louvando a ti, Senhor. Escrevi em meu diário de oração que eu aceitava essa visão e permaneceria em fé até que se cumprisse. Hoje, lendo meu diário, de novo lembrei-me de como és fiel. Passados apenas oito meses, tu levaste os três a uma entrega mais profunda, tornando-os mais íntimos de ti. Na verdade, eles estão cantando a ti louvores, com os braços levantados. Oh, obrigada, Senhor. Obrigada, Senhor.

CAPÍTULO CINCO

Orando em concordância

> Também lhes digo que se dois de vocês
> concordarem na terra em qualquer assunto
> sobre o qual pedirem, isso lhes será feito
> por meu Pai que está nos céus. Pois onde
> se reunirem dois ou três em meu nome,
> ali eu estou no meio deles.
>
> (MATEUS 18.19, 20)

Quando levamos a sério o compromisso de orar pelos filhos, logo descobrimos que grandes fontes de energia e estímulo podem ser os parceiros de oração. Não só ajudamos a levar as cargas uns dos outros, mas nos regozijamos juntos pelas orações respondidas. Todo cristão necessita de um amigo especial que participe de seus problemas secretos, de suas necessidades e preocupações e nunca os revele a ninguém, exceto ao Senhor.

A palavra "acordo", no grego, é *sumphoneo*, e dela nos vem sinfonia — harmonia musical. Traduzida livremente, ela significa: "Se dois dentre vocês puderem harmonizar-se (ter harmonia no

Orando em concordância

Espírito) a respeito de qualquer coisa que porventura pedirem, seu pedido será concedido".

Harvey e Yvonne Hester oram todos os dias por suas duas filhas adolescentes, especialmente de manhã, antes de elas se dirigirem à escola. Eles pedem a bênção, a direção e a proteção de Deus. Às vezes, de noite, enquanto as mocinhas dormem, os pais se debruçam sobre suas respectivas camas e oram de novo.

"Se uma delas se mostra temerosa diante de uma batalha, nós oramos um versículo bíblico, por exemplo, 'Deus não nos deu espírito de covardia' " (2Timóteo 1.7), explicou Harvey, membro clínico da Associação Americana de Terapia de Casal e da Família. Esse casal diz que tem orado por suas filhas desde antes da concepção.

Nossos maridos cristãos são parceiros ideais de oração, se estiverem dispostos e disponíveis. Às mães solteiras ou às esposas de maridos não cristãos, obviamente, falta esse "sistema de apoio" tão necessário. É por isso que dispõem de verdadeiras dádivas do céu as mulheres com parceiros de oração nos quais podem confiar.

Durante alguns anos tive duas companheiras de oração muito queridas e responsáveis. Como Lib, uma delas, era de minha idade, ambas tínhamos filhos da mesma faixa etária. Enquanto eles passavam pelos "terríveis anos da adolescência", nós nos apoiávamos mutuamente em oração, por telefone, quase que diariamente. Como aprendíamos a alcançar novas profundezas da oração, à medida que passávamos por crises diversas com nossos filhos — acidentes de carro, enfermidades, viagens ao pronto-socorro, pequenos problemas com a lei, e até fugas de casa!

Laura, por outro lado, estava cinco anos na minha frente, tanto no terreno físico quanto no espiritual. Embora morássemos a sessenta e cinco quilômetros de distância uma da outra, encontrávamo-nos duas vezes por mês para orar, na casa dela ou na minha. Era minha incentivadora, meu apoio. "Ei, você vai se sair bem", ela me dizia muitas vezes, rindo de uma situação que me parecia desesperadora. "Ouça, uma de minhas crianças passou por esse tipo de dificuldade. Eu orarei para que você vença essa situação. Ela não é tão sombria quanto você pensa."

Quando um de meus filhos foi acusado falsamente, Laura me colocou de volta no caminho: "Isso está simplesmente em desarmonia com o caráter de seu filho. Não creia numa mentira do Diabo. Oraremos a Deus e pediremos que ele revele a verdade". Durante dois anos ela participou desse meu problema, até que o Senhor provou que o acusador estava errado.

Desde que suas duas filhas se casaram, tenho tido o privilégio de orar pelos genros e netos dela.

Mudei-me para longe de Lib e de Laura, mas ainda trocamos pedidos de oração por telefone ou por carta. Afinal de contas, temos horas e mais horas investidas em nossas vidas de oração para permitir que a distância nos separe espiritualmente.

Depois que nos mudamos, passou algum tempo antes que eu encontrasse duas novas companheiras de oração. De novo, tenho uma amiga amadurecida, Fran, que traz equilíbrio e sabedoria à minha vida de oração. Depois vem Carol, que ora comigo com perfeita identidade, visto que seus filhos estão na faculdade ou prestes a lançar-se em suas próprias carreiras. Com essas duas mulheres eu me abro a respeito de minhas necessidades de oração, contando-lhes tudo o que se passa comigo, confiante em que elas falarão somente com o Senhor. De minha parte, ajudo-as com orações nos bons momentos e também nas horas de provação.

Já passamos por dois traumas. Há alguns anos, por exemplo, o filho de Fran quase morreu de câncer. No ano passado, Carol, que já havia perdido um filho em acidente de carro, passou vários meses numa cama de lona de hospital ao lado da filha de 16 anos, que tinha quebrado o pescoço num grave acidente. Como louvamos a Deus pela recuperação de ambos!

Outras amigas estão disponíveis; basta um telefonema: "Gostaríamos que você orasse conosco para Deus nos conceder vitória na vida de nosso filho". Às vezes nem mesmo menciono a natureza do problema ou da situação.

Sem dúvida, meu melhor colega de oração é meu marido. Todos os dias, oramos por nossos filhos em voz alta, mencionando o nome de cada um.

"Como consegue que ele ore com você?", muitas vezes as mulheres me perguntam. Geralmente lhes proponho o que outras esposas me contaram e que funcionou para elas, quando o marido se mostrava relutante.

Uma mulher poderia dizer ao esposo: "Querido, você se importa se eu orar em voz alta por nossos filhos enquanto você diz "amém", como sinal de que está de acordo comigo?". Finalmente, ele se dará conta de que a oração é uma simples conversa com o Pai.

Ou, se nossos maridos não estão seguros de como orar em voz audível, podemos dar-lhes algumas orações da Bíblia para que as leiam em voz alta enquanto concordamos.

Orando em concordância

"Orar em voz alta?", perguntou-me certa mãe, franzindo a sobrancelha com ar de total perplexidade.

Eu podia compreendê-la, porque eu mesma já havia passado por isso. Tive de aprender a orar em voz alta. Minha amiga Laura me incentivou a acostumar-me a ouvir minha própria voz falando em oração audível.

Tornei-me até mais espontânea na oração desde que me uni a um grupo de seis mulheres com o propósito de interceder pelas famílias uma vez por semana. Ouvindo-as orar e louvar, agora entendo muito melhor a oração.

Nosso grupo se reúne pela manhã, às segundas-feiras, das 5h30 às 6h30. Enquanto as outras mães voltam aos seus lares a fim de cuidar de maridos e filhos que trabalham ou estudam, Fran e eu continuamos a orar por nossos problemas. Por enquanto esse é um bom horário para nós, porque meu marido sai para o trabalho às 5h30, e o dela, que é aposentado, dorme até um pouco mais tarde.

Se não temos companheiros de oração, podemos pedi-los a Deus. O próprio Jesus tinha um círculo íntimo de amigos de oração — Pedro, João e Tiago —, que de quando em quando se retiravam com ele para orar.

CAPÍTULO SEIS

Orando pelos amigos de nossos filhos

Depois que Jó orou por seus amigos, o SENHOR o tornou novamente próspero [...].

(Jó 42.10)

Outro privilégio inapreciável que temos, ao orar pelos filhos, é o de intercedermos também por seus amigos.

Os psicólogos concordam em que ninguém influencia o adolescente — negativa ou positivamente — tanto quanto seus iguais. Em geral, o jovem é conduzido à sua primeira experiência com drogas por seu "melhor" amigo. Por sua vez, um amigo bem-intencionado pode também lhe salvar a vida. Precisamos orar para que as pessoas certas entrem na vida de nossos filhos.

Certa mãe aprendeu um novo modo de orar depois de quase perder a esperança de recuperar seu filho Kurt, então no ensino fundamental, levado por seu amigo Teddy a trilhar um caminho de destruição.

Orando pelos amigos de nossos filhos

— Era Teddy que facilitava as fugas da classe da escola bíblica e da igreja — disse ela. — Ele até comprou uma garrafa de vinho, que beberam até esvaziá-la, na noite em que encontramos Kurt desmaiado na cama.

Muito desenvolvido para a sua idade, Teddy não tinha problema para comprar vinho de uma casa de bebidas.

— O álcool deixou os dois terrivelmente mal. Esperamos e oramos para que a ressaca e o sermão que meu marido lhes fez surtissem efeito. Mas eles continuaram com suas diabruras. Tive de enfrentar o fato de que nosso filho possuía vontade própria e que ele escolheria fazer qualquer coisa sugerida por Teddy. Quando estavam juntos, era aquela troca de más ideias. Eu vivia preocupada, também, porque Kurt abandonara seus outros amigos íntimos a fim de estar à disposição de Teddy — continuou a mãe.

Então, uma noite, quando Kurt devia estar estudando, ele pegou o carro da família e apanhou Teddy para um passeio no campo. Mal haviam saído dos limites da cidade e outro carro colidiu com o de Kurt, mandando-o para o hospital com cortes e ferimentos múltiplos.

Os pais de Kurt castigaram-no, repreenderam-no, apelaram, choraram, oraram e oraram. Tentaram raciocinar com Kurt e Teddy juntos, depois separadamente. Tentaram até mesmo contar com a ajuda da mãe de Teddy. Nada funcionava, nem mesmo a proibição de que os dois se encontrassem. Eles davam um jeito e se encontravam às escondidas.

Teddy terminou o ensino médio, mas matriculou-se numa faculdade local, o que lhes facilitava o encontro.

Depois de interceder de todas as maneiras que conhecia, a mãe de Kurt finalmente pediu a Deus que lhe mostrasse como orar. Certa noite antes de dormir, ao ler a Bíblia, chegou a um versículo do último capítulo do livro de Jó. "Depois que Jó orou por seus amigos, o SENHOR o tornou novamente próspero [...]" (v. 10), ela leu em voz alta para o marido ao seu lado.

— É isso que vem faltando em nossas orações! — exclamou ela. — Acho que Deus deseja que oremos por Teddy tanto quanto por Kurt!

— Ótimo. Você ora e eu digo amém — disse-lhe ele.

Pediram a Deus que abençoasse e dirigisse Teddy e que também o fizesse prosperar. Não mais intercederam no sentido de que Deus afastassse o rapaz da vida de seu filho. Oravam uma oração de "bênção" a favor de Teddy todos os dias.

Orando pelos amigos de nossos filhos

Duas semanas depois, Kurt entrou aos pulos na cozinha onde sua mãe preparava o jantar.

— Adivinhe? — Kurt perguntou, furtando uma cenoura da mesa. — Teddy conseguiu uma bolsa de estudos de beisebol e vai para uma faculdade no Norte.

— Mas já é final de janeiro — disse ela. — Eu não sabia que distribuíam bolsas de estudo no meio do semestre.

— Apenas sei que recebeu um telefonema dizendo-lhe que ele havia conseguido uma. Ele está indo embora neste exato momento. A faculdade fica a quase 1.600 quilômetros daqui.

Deus havia quebrado o elo.

Os pais de Kurt mal podiam crer em quão rapidamente Deus havia respondido às suas orações em favor de Teddy. Não só ele fora abençoado com o custeio dos estudos, como estava sendo provisoriamente afastado da vida de Kurt.

Hoje eles amam ao Senhor Jesus. Encontraram-no mais tarde na faculdade.

— Aprendi uma importante lição, com esse incidente: oro por todos os amigos íntimos de meus filhos. Também aprendi a perguntar a Deus como orar por esses amigos — disse aquela senhora.

Outra mãe, cujo filho fumava maconha e participava de certa turma de rapazes, usava sempre o mesmo versículo quando vinha ao grupo de oração de nossa igreja: "Senhor, guarda meu filho de cair nas armadilhas que os malfeitores lhe armaram. Caiam os tais em suas próprias redes, enquanto ele as atravessa em segurança", que é uma paráfrase de Salmos 141.9,10. Havendo ela parado de fazer essa oração, perguntei-lhe o motivo.

— Tratava-se apenas de um texto bíblico que fui levada a orar. Esses rapazes o deixam em paz agora, de modo que não faço mais essa oração.

Cristo nos ordenou abençoar aos que nos amaldiçoam e orar pelos que nos maltratam. Não resta a menor dúvida de que é difícil saber quando devemos pedir a Deus o afastamento de alguém que exerce má influência na vida de nosso filho e quando orar em favor dessa pessoa. Daí a importância de pedir orientação ao Senhor.

Já dissemos que um bom amigo pode exercer também influência positiva sobre nossos filhos. A escritora Joyce Landorf menciona a absoluta confiança que teve de manter, durante vários anos, enquanto seu relacionamento com a filha Laurie deteriorava-se mais e mais.

Certo dia, quando Laurie decidiu fugir e casar-se com um jovem que, segundo os pais dela, não

Orando pelos amigos de nossos filhos

era boa escolha, ela deu um pulo até a casa de Gayle para informá-la da decisão. A amiga lembrou-lhe que sempre falava sobre uma grande cerimônia de casamento, em que a mãe de Laurie cantaria *Sunrise, Sunset*. Isso foi o bastante para convencer Laurie, e ela mudou de opinião.

O "rapaz certo", que havia esperado por ela durante três anos, finalmente conseguiu sua atenção. Quando os dois se casaram, nove meses mais tarde, Joyce cantou *Sunrise, Sunset* enquanto Laurie descia a nave da igreja.

Joyce sentia-se feliz porque, após anos de intercessão nesse sentido, apareceu a pessoa cristã e amiga para salvar a vida de sua filha. Gayle foi essa pessoa.

Não importa a idade de nossos filhos, eles sofrem a influência e a pressão de seus iguais. Sim, é importante que oremos por seus amigos.

Eis aqui duas orações que podemos fazer.

> Senhor, bendizemos-te e te damos graças pelos amigos de nossos filhos. Que eles exerçam boa influência uns sobre os outros. Sabemos que a tua Palavra diz que as más companhias corrompem os bons costumes. Guarda nossos filhos dos amigos errados, das influências erradas

e dos ambientes errados. Em nome de Jesus, pedimos isso. Amém.

Senhor, anula a influência do mundo sobre meus filhos. Guarda-os de serem desviados por grupos de companheiros errados. Planta a tua Palavra no coração deles. Livra-me da amargura de vê-los rebelar-se. Dá-me paciência para aguardar o teu tempo. Mostra-me como ser misericordiosa e compassiva, assim como o foi Jesus. Amém.

CAPÍTULO SETE

Orando pelos que exercem autoridade sobre nossos filhos

Antes de tudo, recomendo que se façam súplicas, orações, intercessões e ações de graças por todos os homens; pelos reis e por todos os que exercem autoridade, para que tenhamos uma vida tranquila e pacífica, com toda a piedade e dignidade.
(1 TIMÓTEO 2.1,2)

Ao orarmos pelos filhos — quer vivam no lar, quer fora —, lembramo-nos de pedir a Deus pelos que exercem autoridade sobre eles?

Nunca havia pensado muito a respeito de orar pelos professores de meus filhos, até que ouvi um pastor acentuar a necessidade de interceder por todos os que estão investidos de autoridade sobre nós.

Meus três filhos frequentavam três escolas diferentes, tendo cada um seis professores. Não era possível eu conhecer todos pessoalmente. Mas eu poderia elevá-los ao Senhor de um modo geral.

Não muito tempo depois que os acrescentei à minha lista de oração, nosso filho Keith recebeu um telefonema de uma de suas professoras enquanto jantávamos.

— O que ela queria? — perguntei-lhe quando ele voltou à mesa.

— Hã, nada de importante. Ela apenas pediu desculpas por haver gritado comigo hoje na classe — disse com certa indiferença.

Algo dentro em mim desejava gritar: "Obrigada, Senhor! Obrigada por me mostrares a necessidade de orar pelos professores!".

Seria fruto de minha imaginação ou havia mesmo um abrandamento na atitude de meus filhos para com seus professores depois que comecei a orar por eles?! Ponderava a respeito disso quando nossa filha Quinett, que estava fora durante seu primeiro ano de faculdade, telefonou-me inesperadamente certa tarde.

— Mamãe, minha professora predileta sofre de câncer e é possível que esteja morrendo. Vou ao hospital visitá-la daqui a pouco. A senhora quer orar por ela? — Foi o que fiz de imediato enquanto ela dizia "amém" ao telefone.

É oportuno lembrar que precisamos orar, também, pedindo proteção contra o ensino errôneo dirigido a nossos filhos por meio de professores mundanos ou ímpios. Como ficamos felizes quando eles aprendem princípios bíblicos de mestres piedosos que vivem em submissão ao Senhor!

Agora que meus filhos estão fora, exercendo cada um a sua profissão, tenho achado igualmente necessário orar todos os dias por seus empregadores. A Bíblia não nos exorta a orar por todos os que estão investidos de autoridade?

Oro, também, por empregos certos para eles, nestes termos: "Senhor, que meu filho consiga o emprego da tua vontade. Fecha as portas dos locais que não queres que ele vá. Agradeço-te em nome de Jesus. Amém".

Lembro-me da primeira vez que orei assim em favor de nosso filho Keith. Foi no verão anterior ao seu último ano do ensino médio, quando andou por todos os lugares que conhecia, em nossa pequena comunidade, em busca de emprego. Por fim, nosso pastor falou-lhe de uma vaga de zelador em um parque industrial. Ele aceitou a oferta, embora não gostasse do horário de trabalho — das 6h da noite às 2h da madrugada. Mas esse veio a ser um dos melhores verões de Keith. Ele estava livre durante o dia para praticar surf no Atlântico, seu passatempo predileto. E, tarde da noite, quando ele estava limpando vidraças, esfregando pisos e passando o aspirador nos tapetes, cristãos que trabalhavam com ele falavam-lhe do dízimo, da contribuição, da oração e de outros assuntos espirituais que muitas vezes discutíamos em nossas devocionais domésticas. De certo modo, essa conversa, por proceder de homens do trabalho, causou forte impacto. Como dei graças a Deus por esse emprego e por aquele empregador especial que contratava cristãos.

Hoje Keith terminou a faculdade, arrumou as malas, encheu um pequeno *trailer* de móveis e mudou-se para uma cidade a seiscentos quilômetros daqui, onde ele acha que quer viver. Enquanto procura o emprego ideal, eu oro: "Senhor, abre as portas certas. Dá-lhe um bom patrão, que lhe transmita conselhos piedosos".

Certo verão, fiz uma oração "abridora de portas", em favor de nossa filha Sherry, e vi resultados inesperados. Ela arranjou um emprego no escritório de um hotel de veraneio na praia. Logo senti que algo estava errado no trabalho. Seis semanas depois, Sherry apareceu em casa. Ela havia perdido o emprego. Que decepção!

Não havíamos orado e pedido a Deus o emprego certo? Sim. Não tinha sido um emprego relacionado com seus planos de especialização na faculdade? Sim. O que, então, havia saído errado?

Orando pelos que exercem autoridade sobre nossos filhos

Enquanto Sherry chorava atravessada na cama, coloquei-me ao seu lado, acariciei-lhe os cabelos, rebuscando na mente alguns dos pontos negativos de seu trabalho. Ela lidava com milhares de dólares em dinheiro todas as noites, depois os entregava ao guarda do cofre no edifício vizinho. Bem arriscado para uma garota de dezessete anos. Dois empregados do hotel haviam sido mortos recentemente durante um assalto, e uma empregada da mesma idade de Sherry mantinha o escritório em torvelinho. Eu havia orado diversas vezes com minha filha a respeito dessa moça problemática.

Enquanto eu pronunciava algumas palavras de ânimo, meu marido apontou a cabeça na porta, olhou para nós e perguntou-me:

— Como é que você vem orando por Sherry?

— Bem, todos os dias peço que o Senhor a livre de maus ambientes, que a proteja de más influências e de pessoas más.

— Então por que você se surpreendeu por ela ter perdido o emprego? Não consegue ver nisso a proteção de Deus?

Afastei às pressas esse pensamento!

Após a humilhação inicial, Sherry começou a procurar outro emprego. Dentro de uma semana, ela o encontrou. Quase havíamos nos esquecido de sua primeira experiência, quando no verão seguinte seu ex-empregador pediu-lhe que voltasse a trabalhar no hotel da praia. Visto que ela já tinha um emprego em vista, não aceitou a oferta.

Havia Deus aberto os olhos desse homem para o verdadeiro valor de Sherry? Talvez nunca venhamos a descobrir, mas a bondade do Senhor deixou-nos saber que ela havia sido justificada aos olhos do ex-chefe.

Por mais dolorosa que fosse, aprendemos uma valiosa lição. Agora podemos simpatizar mais prontamente com os que passam por desapontamentos semelhantes. Por certo, nossas dores de cabeça dão-nos a oportunidade de aprendermos e treinarmos para utilidade futura. Mas, nesse caso, cremos que também experimentamos a proteção de Deus.

Quando penso nesse empregador, posso louvar a Deus, porque sua esposa agora é ativa no grupo de oração de nossa igreja e, em casa, ela conversa com ele sobre as orações respondidas.

Sim, podemos dizer com o apóstolo Paulo que se façam súplicas, orações, intercessões e ações de graça — especialmente por todos os que estão investidos de autoridade sobre nossa vida e sobre a vida de nossos filhos.

CAPÍTULO OITO

Orando no Espírito

*Pois, se oro em uma língua,
meu espírito ora, mas a minha mente
fica infrutífera.*

(1Coríntios 14.14)

O forte tilintar da campainha do telefone despertou-me. Acendi a luz e dei uma olhada no relógio. Marcava duas horas da madrugada. Achando que devia ser uma emergência, comecei a orar em línguas enquanto pegava o telefone.

— Alô!

— Aqui é Betty. Detesto acordá-la a esta hora, mas tenho um pedido de oração importante.

Embora zonza de sono, reconheci a voz de minha amiga. Ela era uma das companheiras de oração que eu chamava quando precisava de apoio.

— Acabamos de receber um telefonema a respeito de nosso filho John. Ele andou tomando drogas, cocaína ou algo igualmente perigoso, num festival de rock em New Orleans. Imploramos-lhe que não fosse, mas uma pessoa de 25 anos, que mora distante do lar, nem sempre ouve o apelo dos pais. Um pastor amigo nos telefonou dizendo que John está na ala de psiquiatria de um hospital, completamente fora de si. Necessito de oração por ele, por George e por mim. Estamos de saída para New Orleans.

Fiz uma breve oração com ela no telefone, depois continuei minha intercessão. No decorrer das duas semanas seguintes, Betty telefonava com frequência para o escritório de nossa igreja, mantendo-nos informados sobre as condições de John. Nós, guerreiras de oração, por nossa vez, telefonávamos para a igreja, a fim de saber do progresso do tratamento.

— Ele se contorce e sibila como serpente, põe a língua para fora em movimentos rápidos, cospe no pai e em mim — disse Betty ao nosso pastor. — Ele só se acalma quando me sento na beira da cama e oro em línguas horas a fio.

No próximo telefonema, ela relatou:

— É como se ele se tivesse aberto às influências demoníacas, ao ingerir aquelas drogas. Os médicos dizem que não há esperança. Acham que ele vegetará até ao fim da vida. Ele nem mesmo nos reconhece.

Depois de três semanas e uma pequena melhora, um auxiliar do xerife e um atendente do hospital

Orando no Espírito

levaram John de ambulância para um hospital psiquiátrico mais próximo de nossa casa. Ele ainda tinha de ficar amarrado à cama para não se machucar nem ferir outros. Exceto os funcionários do hospital, seus pais e o pastor, ninguém podia entrar em seu quarto. Um grupo de nossa igreja continuava a orar em favor de Betty e George, crendo que a mente de John voltaria ao normal.

— John só se acalma quando intercedo em voz alta em minha linguagem de oração — disse-me Betty quando me telefonou. — Então, e só então, ele para de sibilar e de se contorcer.

Continuamos a orar no decorrer dos dois meses seguintes. Então, enquanto sua mãe lia a Bíblia para ele em voz alta, o novo boletim médico mostrava que a mente de John começava a clarear-se. Como nos alegramos poucas semanas mais tarde quando ele veio para casa!

— John, você está com uma aparência ótima — eu lhe disse, perguntado-me se ele teria experimentado alguma transformação interior.

— Obrigado. Sei que Deus me salvou a vida pelas orações de mamãe — disse. — Ela me falou que orava em línguas durante horas quando eu nem mesmo sabia que estava ao meu lado. Dou a Jesus toda a glória por libertar-me — e deu-me um grande abraço.

Passaram-se três anos e sua mente permanece livre e clara. E a mãe? Em sua linguagem de oração ainda intercede pelos três filhos, todos os dias.

Quando simplesmente não sei como orar por meus filhos em inglês, minha língua materna, confio na linguagem especial de oração que Deus me concedeu quando recebi o batismo no Espírito Santo. Visto que meus filhos estão distantes do lar e já não tenho conhecimento de suas necessidades diárias, encontro-me orando mais e mais no Espírito.

Quando oro em línguas, confio na passagem da Bíblia que diz: "[...] porque o Espírito intercede pelos santos de acordo com a vontade de Deus" (Romanos 8.27).

No capítulo 6 da carta aos efésios, o apóstolo Paulo nos dá um valioso conselho: "Orem no Espírito em todas as ocasiões, com toda oração e súplica [...]" (v. 18). Essa é uma ordem incrível!

A leitura de uma paráfrase de Romanos 8.26-28 ajuda-nos a entender melhor essa passagem.

> Assim o Espírito (Santo) vem em nosso auxílio e sustenta-nos em nossa fraqueza, porque não sabemos que oração oferecer nem como oferecê-la dignamente como devemos, mas o próprio Espírito vai ao encontro de nossa súplica e intercede por nós com gemidos inexprimíveis,

profundos demais para serem proferidos. E aquele que sonda o coração dos homens sabe o que está na mente do Espírito (Santo) — qual é seu intento — porque o Espírito intercede (perante Deus) pelos santos, de acordo, em harmonia, com a vontade de Deus.

Mães de oração que usam sua linguagem espiritual em favor dos filhos têm experiência de primeira mão da intervenção de Deus nessas vidas. Elas sabem, também, que toda intercessão feita no Espírito é inspirada na vontade de Deus.

CAPITULO NOVE

Orando durante a batalha

---

*Pois, embora vivamos como homens, não
lutamos segundo os padrões humanos.
As armas com as quais lutamos não
são humanas; ao contrário, são poderosas
em Deus para destruir fortalezas.*
(2Coríntios 10.3, 4)

O intercessor às vezes se coloca entre Deus e a pessoa que ora; outras vezes, coloca-se entre Satanás e a pessoa que trava a batalha. Alguém disse certa vez: "A oração é dirigida a Deus e a guerra é dirigida contra o Inimigo".

Em Provérbios 31, lemos a respeito da mulher virtuosa, que trabalha diligentemente com as mãos. São dois os tipos de mãos mencionadas nesse capítulo tantas vezes citado: *yad* e *kaph* (palavras hebraicas).

A palavra *kaph* refere-se a mãos estendidas para Deus, rogando-lhe em favor dos amados.

As mãos *yad* são as que guerreiam, que batalham. A mulher virtuosa, piedosa, guerreia com as mãos. Imagino-a arremetendo o punho e dizendo: "Satanás, você não possuirá minha família. Eu o proíbo de fazer isso, pela autoridade que o Senhor me deu".

Creio que Deus está chamando mulheres à oração de guerra. Embora não entendamos isso plenamente, estamos num exército para travar uma batalha espiritual. Mas, uma vez que Jesus é nosso comandante, venceremos! Corrie ten Boom costumava dizer: "É, de fato, um pobre soldado aquele que não reconhece o inimigo".

Atualmente, quando vemos o quanto é assustador o número de nossos jovens sob as influências demoníacas, mediante as drogas e o ocultismo, estamos mais conscientes do que nunca de que "[...] não estamos lutando contra gente feita de carne e sangue, mas contra pessoas sem corpo — os reis malignos do mundo invisível, esses poderosos seres satânicos e grandes príncipes malignos das trevas que governam este mundo; e contra um número tremendo de maus espíritos no mundo espiritual" (Efésios 6.12, *BV*).

Paulo lembra-nos também o seguinte: "As armas com as quais lutamos não são humanas; ao contrário, são poderosas em Deus para destruir fortalezas" (2Coríntios 10.4).

Como mães cristãs, podemos batalhar e destruir fortalezas que prendem nossos filhos, empregando as poderosas armas de Apocalipse 12.11: "Eles o venceram pelo sangue do Cordeiro e pela palavra do testemunho que deram; diante da morte [...]".

Nossa autoridade provém de nosso relacionamento digno com Jesus — o Cordeiro que foi morto. Ele, por sua vez, dá-nos a autoridade em seu nome para exigir que o Maligno solte nossos filhos.

Na guerra contra Satanás e suas forças demoníacas, podemos usar a Palavra de Deus como arma, assim como Jesus a usou quando o Diabo veio tentá-lo. Nosso Senhor simplesmente disse: "Retire-se, Satanás! Pois está escrito [...]" e continuou, citando a Palavra de Deus.

As mães podem batalhar, dizendo algo mais ou menos assim, em voz alta:

Retire-se, Satanás, da vida de meu filho ____ _____.

Você não tem autoridade, porque sou filha de Deus, e sua Palavra diz que a descendência dos justos será liberta. Possuo, mediante Jesus que morreu por mim, um relacionamento de aliança com o Deus todo-poderoso. Você deve liberar meu filho.

A Bíblia diz: "[...] o que você ligar na terra terá sido ligado nos céus, e o que você desligar na terra terá sido desligado nos céus" (Mateus 16.19).

Qual o significado dos fragmentos "terá sido ligado nos céus" e "terá sido desligado nos céus"? Williams, tradutor de Bíblia, salienta que a forma do verbo indica algo "num estado de já ter sido proibido (ou permitido)". Assim, tudo o que for ligado ou desligado por um cristão, segundo a vontade de Deus, já terá sido feito no céu.

Jesus ensina-nos mais: "[...] como alguém pode entrar na casa do homem forte e levar dali seus bens, sem antes amarrá-lo? Só então poderá roubar a casa dele" (Mateus 12.29).

O contexto dessa passagem revela Jesus expulsando demônios. A palavra grega para "amarrar", nesse versículo, é *deo*, que significa "apertar ao atar — com correntes", como um animal é amarrado para não escapar. Devemos ligar na terra o que já foi ligado no céu.

A que, pois, se refere o "desligar"? À libertação dos cativos! A palavra grega para "desligar" é *lud*, definida no léxico como "soltar, libertar, livrar do cativeiro ou de uma doença (alguém que esteja dominado por Satanás), mediante a restauração da saúde".

Lembremo-nos da história da mulher que Jesus curou, a qual durante dezoito anos andara encurvada, vítima de um espírito maligno. "Mulher, você está livre da sua doença", disse-lhe o Mestre (Lucas 13.12).

Embora poderosos, Satanás e os demônios podem ser amarrados e suas vítimas libertas ou soltas, por intermédio do poder maior de Deus.

Ainda que o Diabo tenha um reino imenso de espíritos maus que lhe executam o trabalho, o Senhor deu-nos armas com as quais o combater. Nossa responsabilidade nessa guerra é livrar nossos filhos das armadilhas que Satanás lhes preparou.

Outra arma poderosa ao nosso dispor é o louvor. Os grilhões de Satanás são quebrados quando louvamos o Deus Altíssimo (veja Salmos 149.6,8).

A leitura dos salmos conscientiza-nos de que devemos louvar a Deus em quaisquer circunstâncias. Não importa quais sejam nossas condições, Deus merece nosso louvor. Após a Páscoa e antes de se dirigir com os seus discípulos para o Getsêmani, onde sofreria grande aflição, Jesus entoou um salmo de louvor.

> Bendiga o Senhor a minha alma!
> Bendiga o Senhor todo o meu ser!
> Bendiga o Senhor a minha alma!
> Não esqueça nenhuma de suas bênçãos!
> (Salmos 103.1,2).

Orando durante a batalha

Satanás odeia o louvor, porque o louvor concentra nossa atenção em Deus. Podemos usá-lo, porém, como arma poderosa para destruir fortalezas, para dizer ao Inimigo que ele deve recuar, porque Deus é nosso Pai, e ele batalha em lugar de seus filhos.

Eis algumas orações da Bíblia que uso de tempos em tempos. Estou certa de que Deus lhe mostrará muitas outras de sua Palavra:

Pai, em nome de Jesus, aproximo-me do teu trono para apresentar a ti os meus filhos. Coloco-me entre ti e eles e intercedo por eles. Tu me ordenas ligar o que já está ligado no céu e desligar o que já está desligado no céu. Faço-o agora com fé.

Portanto, Satanás, com seus poderes governadores das trevas e das forças espirituais da maldade que têm vindo contra meus filhos, eu te amarro, no poderoso nome de Jesus. Afaste-se de meus filhos. Eu os libero, a fim de serem tudo aquilo que Deus deseja que sejam.

Pai, peço-te que ordenes aos teus anjos com referência aos meus filhos, que os guardem em todos os seus caminhos (Salmos 91.11). Tu prometes que nenhum mal cairá sobre nós e desgraça alguma chegará à nossa tenda (Salmos 91.10). Obrigada, Pai, em nome de Jesus. Amém.

Pela autoridade de Jesus Cristo, meu Salvador e Senhor ressurreto, eu o amarro, Satanás, e a todos os seus poderes que perturbam hoje a vida de meus filhos. Em nome de Jesus Cristo eu lhe ordeno: Pare com suas manobras que impedem que a vontade do Senhor seja feita (Mateus 18.18-20).

CAPÍTULO DEZ

Orando na hora da dificuldade

> *Levante-se, grite no meio da noite, quando começam as vigílias noturnas; derrame o seu coração como água na presença do SENHOR. Levante para ele as mãos em favor da vida de seus filhos, que desmaiam de fome nas esquinas de todas as ruas.*
>
> (LAMENTAÇÕES 2.19)

Deus deseja ser acessível a nós, mulheres, de modo que possa ter acesso por meio de nós. Pensemos nisso. As mulheres sabem o que é um trabalho de parto para dar à luz a vida física. De igual modo, Deus usará as mulheres no trabalho de dar à luz a vida espiritual — tirando nossos filhos das trevas e conduzindo-os à maravilhosa luz de Jesus.

Como mães de oração, às vezes sentimos a necessidade urgente de interceder por nossos filhos. Desejamos que eles nasçam de novo e sejam libertos do cativeiro das seitas, das drogas, do álcool e de outras armadilhas mundanas.

Quando damos à luz nossos filhos, experimentamos agonia, dor e pranto. Agora o Espírito nos chama para que de novo soframos as mesmas dores (veja Gálatas 4.19).

Lemos em Isaías 26.17:

> Como a mulher grávida
> prestes a dar à luz
> se contorce e grita de dor,
> assim estamos nós na tua presença,
> ó SENHOR.

Ninguém me explicou essa dimensão da oração. Meu marido e eu tropeçamos nela ao nos debatermos com uma crise na vida de um de nossos filhos. Sabemos agora por experiência o que significa cair sobre nosso rosto com choro, oração e gemido. Isso não é algo que possamos "produzir". É, antes, obra do Espírito Santo em nós.

Mesmo Jesus, quando viveu na terra, ofereceu orações e súplicas "em alta voz e com lágrimas" (Hebreus 5.7).

Salmos 6.6,7, Neemias 1.4 e Lamentações 2.11,18,19 estão entre outros textos bíblicos que falam de choro.

Entretanto, apoderemo-nos desta promessa:

Orando na hora da dificuldade

> Aqueles que semeiam com lágrimas,
> com cantos de alegria colherão.
> Aquele que sai chorando
> enquanto lança a semente,
> voltará com cantos de alegria,
> trazendo os seus feixes.
> (Salmos 126.5,6).

Sim, os que semeiam lágrimas colherão alegria.

Durante anos, a filha de Dot, de 21 anos, havia amado a família e a igreja. De repente ela começou a ir a festas mundanas, com amigos igualmente mundanos. Dot passou um dia inteirinho em oração angustiada — e grande parte desse tempo prostrada, com o rosto em terra — clamando em favor da filha.

— Orava em inglês e orava em línguas. Contra Satanás e suas forças demoníacas, eu usava orações de guerra espiritual extraídas da Bíblia. Gemendo no íntimo, de quando em quando me levantava e dava alguns passos, orando em voz alta — explicou Dot. — Finalmente, quando lia a Bíblia, prostrada numa velha cadeira de balanço, meu coração foi despertado por Isaías 54.13: "Todos os seus filhos serão ensinados pelo SENHOR, e grande será a paz de suas crianças".

Enxugando as lágrimas, Dot reconheceu:

— Senti alívio de meu peso de oração. Agora a minha fé era bastante para confiar que Deus realizaria o que eu pedira. De certo modo eu sabia que a passagem bíblica se concretizaria na vida de minha filha, de maneira que comecei a dar graças a Deus porque ele a ensinaria e lhe daria a sua paz. Seis meses depois, nossa filha voltou-se para o Senhor e para nossa família. Como bônus extra, ele deu-lhe novas amigas.

O ponto de retorno foi a oração do sofrimento? — perguntei.

Creio que sim — respondeu ela. — Nunca senti tal angústia de alma como naquele dia, quase como a que experimentei quando a dei à luz após três dias de sofrimento. Só que dessa vez senti que estava lutando por sua própria alma.

Devemos também ser persistentes em nossas orações. Jesus contou a história de um homem persistente que não desistiu até que seu amigo se levantou da cama, abriu a porta e deu-lhe o pão. Ele queria dizer que devemos ser de igual modo persistentes em nosso pedir. Disse mais: "Peçam, e lhes será dado; busquem, e encontrarão; batam, e a porta lhes será aberta" (Mateus 7.7).

Examinemos a fé e a oração persistente de um dos principais profetas, Elias. Após três anos e meio de seca em Israel, o Senhor disse a Elias que se apresentasse ao rei Acabe, pois ele, Deus, enviaria chuva.

Elias disse confiantemente ao rei: "Vá comer e beber, pois já ouço o barulho de chuva pesada" (1Reis 18.41).

Elias creu que a chuva viria. Deus havia prometido. Mas, quando ele proferiu aquelas palavras, não havia absolutamente nenhum sinal visível de que a chuva estivesse prestes a encharcar a terra batida pelo sol. O que o profeta fez? Subiu ao cume do monte Carmelo e curvou-se com a cabeça entre os joelhos. Essa é a postura da mulher ao dar à luz e, também, a postura dos homens do Oriente Médio quando estão em meditação. Então ele orou ardentemente sete vezes.

Creio que ele dava graças a Deus com antecedência porque a chuva estava a caminho, embora ainda não houvesse qualquer evidência dela. O primeiro sinalzinho que apareceu não passava de mera nuvem do tamanho da mão de um homem. Sinal insignificante para alguns, mas não para Elias. Antes que decorresse muito tempo, o céu carregou-se de nuvens negras, e caiu uma pesada chuva. O velho Acabe partiu em seu carro para Jezreel, mas o poder do Senhor veio sobre

Elias, e ele correu adiante do rei todo o caminho até Jezreel, distante dali trinta e dois quilômetros.

Recentemente, encontrando-me no topo do monte Carmelo e descortinando as planícies de um verde luxuriante que iam até Jezreel, revivi essa cena com os olhos da mente. Como ansiava por ter a dimensão da fé que Elias exibiu nessa história registrada no capítulo 18 de 1Reis.

Senti-me estimulada mais tarde ao ler em Tiago 5.17,18 que Elias possuía natureza semelhante à nossa, e não era um personagem especial. Como ser humano comum, ele ofereceu ardentes orações de fé.

Como podemos aplicar em nossa vida a lição da oração de Elias? Algumas vezes o Senhor nos permite saber que nossos filhos estão saindo de uma crise, e então é hora de crermos em Deus, de nos firmarmos em sua Palavra e dar-lhe graças com antecedência pela resposta à oração. Nesse ínterim, oremos com persistência, até com sofrimento, permitindo que o Espírito Santo, que está em nós, emita gemidos inexprimíveis.

Certa mãe, chamada Sally, que exibia fé semelhante à de Elias, falou de um período de provação na vida de seu filho.

— Quando Todd completou 16 anos, pareceu-me que eu havia perdido o contato com ele. Tenso e silencioso, ele parecia estar fechado numa concha. Pior ainda, havia evidência de que ele também se afastara de Deus. Eu observava impotente enquanto outros rapazes exerciam maior influência sobre ele do que nós em casa. Meu único recurso era a oração. Então, num fim de tarde, depois de caminhar sozinha pela praia por mais de uma hora, conversando com o Senhor a respeito de meu filho, apanhei uma pequena concha marrom e branca que ondas gigantescas jogavam de um lado para o outro. Ao fazê-lo, senti que Deus me dizia: "Essa concha tinha muito potencial para crescimento, como seu filho. Apenas creia em mim para poli-lo e aperfeiçoá-lo".

Sally levou consigo sua "concha da promessa", lavou-a e a colocou na saliência da janela da cozinha. Frequentemente tomava-a nas mãos, levantava-a e suspirava uma oração triunfante: "Senhor, tu prometeste".

Todd se encaminhava mais e mais para a rebelião aberta. Uma tarde, ao sair esbravejando de casa, disse aos berros: "Mãe, não posso ser o tipo de cristão que a senhora quer que eu seja!" e desapareceu até às primeiras horas da manhã. À medida que os meses se arrastavam, ele continuava envolvendo-se em todo tipo de problema juvenil. Sally observava com pesar, mas continuava sua luta insana pelo filho.

Quando Todd ingressou na faculdade, ainda não havia nenhum sinal de arrependimento ou de mudança para melhor. Quatro anos já haviam se passado desde que Sally recebera a promessa na praia. Então, certa noite, ela sentiu necessidade urgente de escrever ao filho a respeito da "concha da promessa". A carta terminava com uma paráfrase do versículo a que ela se apegara: "Tenho me apegado com firmeza à a esperança que professo, pois aquele que prometeu é fiel" (veja Hebreus 10.23).

Pouco tempo depois Todd reagiu.

— Mamãe, sua carta me fez tão feliz que quase chorei.

A senhora não sabe, mas na noite da terça-feira em que me escreveu a carta, fui à cidade para ouvir a apresentação de um conjunto musical evangélico. Realmente estive afundado, mas entreguei tudo a Deus. Senti-me grande. Sei que não será fácil, mas dessa vez teremos êxito. Dou agora o devido apreço por tudo o que a senhora e o papai têm feito por mim. Obrigado. E graças a Deus por sua "concha da promessa".

Deus sempre nos dará garantia especial a favor de nossos filhos, quando intercedermos por eles. Essa garantia pode vir de um versículo bíblico ou, como no caso de Sally, de algo pessoal que Deus

Orando na hora da dificuldade

sussurra ao nosso espírito. Enquanto não virmos sua promessa realmente cumprida, necessitaremos de algumas horas de persistente oração, sem jamais desistir. Deus é fiel.

O evangelista David Wilkerson observa:

> Em meses recentes o Espírito Santo vem despertando maridos, esposas, avós e outros cristãos, chamando-os de volta a um caminhar mais profundo no Espírito. Há uma purificação em andamento por toda a parte, com o Espírito pairando sobre os lares, provocando lágrimas de arrependimento e fome crescente das realidades espirituais.

Nunca antes ouvi lamentos tão profundos, de corações tão angustiados, como junto ao Muro Ocidental em Jerusalém. Ali, em frente aos únicos restos do muro que outrora circundou os templos de Salomão e de Herodes, os peregrinos — judeus e cristãos igualmente — ajuntam-se de todas as partes do mundo para orar. Vinte e quatro horas por dia as pessoas permanecem ali, orando e chorando abertamente.

Quando estive lá em um frio domingo de fevereiro, uma mulher próxima de mim soluçava descontroladamente e comprimia o corpo contra o muro. De vez em quando, enquanto pranteava em voz alta, ela pregava no muro uma tira de papel em que havia escrito o nome de um ente querido. Embora me fosse estranha, tive afinidade com ela. Juntei minhas orações às dela: "Senhor, tua vontade é salvar. Dá à família dessa mulher corações arrependidos", disse eu em voz baixa enquanto ela continuava sua luta em oração. Éramos duas mulheres de lados opostos do Globo, orando por nossas famílias.

A intercessão tem sido chamada "processo de nascimento de Deus". As mães que têm experimentado a oração sob grande sofrimento podem dizer "Amém".

CAPÍTULO ONZE

Orando pelos filhos obstinados

Livrará até o que não é inocente,
que será liberto graças à pureza
que há em você, nas suas mãos.

(Jó 22.30)

A neve ainda formava uma camada de trinta centímetros após a inesperada tempestade de inverno que durou três dias. Enquanto meu marido dirigia o carro pela estrada coberta de gelo, eu espiava um cordeirinho preto perdido, não muito longe de nós, atolado na cobertura branca. "Olhe! Olhe!", gritei minutos depois, ao ver um lavrador se dirigir para a bolinha de lã preta, tomá-la nos braços e conduzi-la à casa da fazenda ali perto, a fim de devolvê-la sã e salva ao aprisco.

Recobrei o ânimo. Regressávamos de um retiro de três dias de oração em favor de um de nossos preciosos "cordeiros", cuja situação era bastante problemática. Deus me lembrava, uma vez mais, que Jesus, o Bom Pastor, cuida de suas ovelhas. E ele está cuidando de nossos filhos também.

Se você tem um filho rebelde, anime-se! Imagine esse filho restaurado à integridade, cantando louvores a Jesus. Apegue-se firmemente a essa imagem. Depois, leia o capítulo 15 de Lucas — o capítulo do "perdido e achado". Você também encontrará motivo para regozijar-se.

Essa passagem tem encorajado muitos pais abatidos. Em primeiro lugar, ela nos mostra que o Bom Pastor deixa as noventa e nove ovelhas no aprisco e vai em busca da que se perdeu. Ele a encontra, põe-na sobre os ombros e a leva de volta sã e salva. Chamando os amigos, ele diz: "[...] Alegrem-se comigo, pois encontrei minha ovelha perdida" (Lucas 15.6).

Um dos mais comoventes exemplos de nosso tempo foi a restauração de Franklin, filho do evangelista Billy Graham. Esse jovem, outrora rebelde, é hoje pastor ordenado a serviço das missões.

Certa noite, a mãe de seu "cordeiro perdido", conforme ela o chamava, enquanto orava, pôs-se de joelhos para entregar o filho uma vez mais ao Senhor, reconhecendo que deveria primeiro "entregar a Deus o que me sobrou". Foi o que fez, e depois buscou a resposta de Deus. "Ele inculcou

Orando pelos filhos obstinados

isto em mim: 'Cuide você do possível e confie a mim o impossível' ". No dia da ordenação de Franklin, a mãe contou sua história, e acrescentou: "Hoje vocês estão vendo o impossível".

"Mas esse era filho de Billy Graham", podíamos replicar. "O que dizer das pessoas comuns que têm filhos obstinados?"

Conheço outra mãe que nunca deixou de orar por sua filha Carolyn, que aos 18 anos de idade se tornou conhecida modelo de televisão. Desiludida, a moça entregou-se ao álcool, às drogas e ao sexo, a fim de encontrar realização. Embora criada na igreja, tornou-se traficante de drogas para sustentar o vício. Ela deu as costas a tudo o que havia aprendido, fugindo deliberadamente de Deus.

Então, certa noite, já com 39 anos de idade e completamente angustiada com aquilo em que se tornara, Carolyn ajoelhou-se ao lado da cama e gritou essas palavrinhas: "Deus, ajuda-me!".

— Caí de joelhos como pecadora e levantei-me salva, sabendo que Jesus era meu Salvador e Senhor — relata Carolyn. — Desci correndo para o salão de festas de que era sócia-proprietária e falei a respeito de Jesus. Nunca mais tive desejo de tocar em álcool ou em drogas. De fato, logo depois transferi o salão à minha sócia e mudei-me para longe, a fim de começar vida nova. Minha mãe havia orado por mim durante vinte anos sem nunca perder a esperança. Sei que foram suas orações que me levaram ao arrependimento — admite ela agora.

Há três anos, tenho observado Carolyn levar ao Senhor, uma após outra, muitas almas derrotadas como ela própria o foi no passado.

Mães, mediante nossas orações, o Pastor sai à procura de nossos cordeiros, impelindo-os a voltar ao rebanho — cordeiros como Franklin e Carolyn. Nossa parte é orar com fé para que nossos filhos não salvos sejam receptivos quando o Pastor se dirigir a eles.

À medida que prosseguimos na leitura de Lucas 15, vemos a história do Filho Pródigo. Eu o chamo de "filho dê-me", porque ele exigiu sua herança antes que ela lhe fosse devida. Talvez ele tenha acrescentado: "Papai, no meu entender o senhor não vai morrer tão cedo. Dê-me o que é meu, de modo que eu possa sair desse lugar enfadonho".

Nenhuma soma de apelo, de barganha ou de ameaça teria mudado a mente desse filho. Alguns de nós sabemos o que é sentir-se assim. Temos sido magoados pelos filhos. Podemos, porém, como o pai do Filho Pródigo, perdoar? Podemos crer que, apesar das circunstâncias, algum dia sairemos ao pátio da frente de nossa casa e veremos nossos filhos e filhas voltando arrependidos ao lar?

Observemos como esse filho desperdiçou a herança. Ele partiu para um país distante e aí gastou tudo o que tinha, numa vida dissoluta. Quando a fome assolou a terra, de bom grado teria comido as bolotas que os porcos comiam, mas ninguém lhe dava nada. Ele sabia que os trabalhadores de seu pai tinham coisa melhor. Assim, caindo em si, voltou ao lar, desejando ser apenas um servo de seu pai.

Enquanto o filho ainda estava longe, o pai o viu aproximar-se. Isso me convence de que o pai acreditava na volta do filho. Ele o aguardava com expectativa todos os dias. Quando viu o filho desobediente, o pai encheu-se de tal compaixão que correu a encontrá-lo, abraçou-o e o beijou repetidas vezes. Fez que não percebia a sujeira nem sentia o mau cheiro do filho, e o recebeu com amor antes mesmo de saber que ele tinha um coração arrependido. Foi isso o que esse pai amoroso fez. Que festa ele deu! O filho perdido foi achado, restaurado. Que grande alegria!

Quando Jeff, ainda adolescente, entregou-se ao álcool e às drogas, Jane, sua mãe, aproximou-se mais do Senhor. Muitas vezes ela se lançava ao chão de seu quarto intercedendo de todos os modos que encontrava na Bíblia. Outras vezes ela entrava no quarto do filho e orava contra todos os ataques que o Inimigo preparava contra ele. Enquanto ela intercedia, durante meses, Jeff rodava com uma gangue de motos denominada Anjos do Inferno. Ela fazia duas orações significativas: "Deus, eu te libero para fazeres tudo o que tens de fazer, a fim de gerares um homem de Deus em meu filho". E também orava: "Deus, vem e estabelece teu trono na vida de Jeff".

— Depois de orar durante meses, certo dia tive a certeza de que minha guerra havia terminado — diz Jane. — A carga foi removida, embora não houvesse mudança significativa na vida de Jeff. Eu tinha um conhecimento íntimo de que podia parar com minha profunda intercessão. Por algum tempo as coisas pioraram. Seis meses mais tarde, meu filho conseguiu alguma cocaína e chegou às portas da insanidade. Em desespero ele clamou: "Deus, mostra-me a saída" — continuou Jane. — Sua oração foi respondida por meio de um cristão que trabalhava na mesma firma. Ele o ajudou a encontrar o caminho que leva ao Senhor. Jeff foi logo liberto dos cigarros, do álcool e das drogas. Hoje ele mantém um relacionamento constante com o Senhor e prega, canta e toca piano numa pequena missão, numa área de marginais. Deus operou grandiosa restauração nesse rapaz rebelde. Jamais duvide do poder de suas orações como mãe guerreira — diz Jane.

Se alguma vez houve um rebelde, esse foi Aurelius Augustinus, mais conhecido hoje como Santo Agostinho, da Itália. Embora sua mãe tivesse orado por ele diariamente, desde seus tempos de menino, Agostinho seguiu seu próprio caminho e examinou várias filosofias. Ele sustentou uma amante por mais de quinze anos, a qual lhe deu um filho ilegítimo.

Mulher resoluta e prática, Mônica decidira que seu filho obstinado se tornaria cristão. Certa vez ela até apelou para um bispo africano, pedindo-lhe que conversasse com Agostinho a respeito de sua alma. O bispo recusou fazê-lo, mas consolou a mãe quebrantada com palavras que continham elevada promessa: "Apenas ore ao Senhor a favor dele. É impossível que o filho de tais lágrimas venha a perecer".

E ela orou.

Um dia, Agostinho apanhou a Bíblia e leu o capítulo 13 de Romanos. De repente, desapareceram todas as suas dúvidas e todos os seus argumentos contra o cristianismo. Ele aceitou Jesus. Quando contou à mãe, ela praticamente gritou: "Louvado seja Deus, que pode fazer muito mais do que pedimos ou pensamos!". Nove dias depois, respondidas suas orações, Mônica partiu desta vida.

Durante os quarenta e quatro anos seguintes, Agostinho leu e interpretou as Escrituras. Como bispo de Hipona, ele foi um dos homens mais influentes do seu tempo. Morreu no ano 430 da era cristã, deixando escritos que trouxeram iluminação espiritual a milhares através dos séculos.

Minha amiga Bárbara também tinha um filho rebelde. Depois de tornar-se cristã, ela buscou o Senhor com relação ao filho. Um dia, ao ler Joel, capítulo 2, o versículo 12 penetrou-lhe o coração:

> "Agora, porém", declara o SENHOR,
> "voltem-se para mim
> de todo o coração,
> com jejum, lamento e pranto".

Por meio desse versículo, Deus lançou um facho de luz no coração de Bárbara, revelando-lhe sua própria amargura, ira e falta de perdão. Então ela se arrependeu, com jejum, choro e oração. E pediu a Deus que a transformasse.

Depois disso, ela lia feliz o versículo 25 do segundo capítulo de Joel, no qual Deus disse que restituiria os anos consumidos pelos gafanhotos.

Orando pelos filhos obstinados

— Muito embora eu não tivesse sido a mãe certa de que meu filho necessitava em seus anos de formação, Deus me perdoou e pôs em meu coração uma promessa — contou-me ela recentemente. — Eu acreditava que ele restauraria os anos que os "gafanhotos" haviam devorado de minha vida e que meu filho aceitaria o Senhor.

Para Bárbara, esse foi um grande salto de fé, pois por alguns anos seu filho esteve na prisão e, hoje, quando escrevo, ele ainda está lá. Entretanto, aos 29 anos, ele aceitou Jesus.

Bárbara é uma das mães cristãs mais jubilosas que já conheci. Mais importante ainda, é forte intercessora pelo sistema penitenciário de seu Estado. Ela ora pelos presos, pelos guardas, pelo superintendente e pelos capelães. Muitas mães com um filho na prisão poderiam nunca pensar em interceder pelos outros ali, mas isso não ocorre com Bárbara. De uma situação ruim, Deus tem gerado o bem.

Sim, ela crê que algum dia seu filho voltará para o lar. Mas o Senhor já foi fiel à sua promessa. O Bom Pastor encontrou a ovelha perdida dessa mãe, mesmo atrás das grades.

CAPÍTULO DOZE

Orando com fé

---

*Instrua a criança segundo os objetivos
que você tem para ela,
e mesmo com o passar dos anos
não se desviará deles.*

(PROVÉRBIOS 22.6)

— Seu filho está envolvido com drogas. Lamento, mas eu disse ao Richard que se ele não confessasse a vocês, eu mesmo teria de dizê-lo. — O melhor amigo do pastor Peter Lord e de sua esposa Johnnie jogou-lhes essa bomba. Mas, nessa hora extrema, eles buscaram a Deus.

O pastor Lord, reconhecendo sabiamente que a mãe muitas vezes é mais sensível à orientação do Senhor com respeito aos filhos do que o pai, sugeriu à sua esposa que se recolhesse para jejuar, orar e buscar orientação de Deus a respeito do filho mais velho. É claro que Peter também vivia em profunda intercessão, especialmente quando Johnnie estava impedida de fazê-lo.

Abalada pelo terrível golpe, Johnnie Lord clamou e clamou perante o Senhor, a favor de Richard.

Então, na terceira manhã de seu jejum, Deus revelou-lhe ao coração dois versículos bíblicos. O primeiro era: "Àquele que é capaz de fazer infinitamente mais do que tudo o que pedimos ou pensamos, de acordo com o seu poder que atua em nós" (Efésios 3.20). O segundo era também importante: "O Senhor cumprirá o seu propósito para comigo! [...]" (Salmos 138.8).

Regozijando-se, ela perguntou:

— Senhor, qual o teu propósito para a vida de Richard?

E ela lembra a resposta do Senhor:

— Com muita clareza o Senhor me assegurou de que usaria Richard em seu plano redentor em benefício de outros.

Quando voltou para casa, Johnnie disse ao marido:

— Richard vai abandonar os vícios e os novos amigos, porque Deus vai usá-lo em sua obra.

A despeito do otimismo materno, Richard ia de mal a pior.

O pastor Lord também orava, porém tentando negociar com Deus:

Deus, faz qualquer coisa para atrair a atenção de Richard. Qualquer coisa, exceto permitir que ele seja preso.

Por que ele não pode ir para a cadeia?

Bem, Senhor, tu sabes. Os jornais imprimem histórias sensacionais, e não ficaria bem para o teu Reino que manchetes espalhassem pelo mundo que o filho do pastor está na cadeia sob acusações de envolvimento com drogas.

O Senhor, porém, revelou o orgulho de Peter, e ele, obedientemente, confessou esse pecado e orou de novo:

— Tudo bem, faz qualquer coisa para trazer Richard de volta a ti, Senhor. Qualquer coisa.

Poucos dias depois, o inevitável aconteceu. Richard foi preso em outra cidade. Quando seus pais o visitaram, levaram-lhe sua correspondência. Dentro, havia a devolução do imposto de renda, de modo que com esse dinheiro ele pagou sua própria fiança.

Teria essa experiência da cadeia colocado Richard de volta no caminho? Não. Mas sua mãe continuou a orar repetidamente, lembrando ao Senhor que Richard fora educado em seus santos caminhos. Ela se apegava às promessas que Deus lhe dera durante os dias de jejum e isolamento.

Ela também deu graças ao Senhor pelas qualidades positivas de Richard — ele fora considerado

Orando com fé

o rapaz mais popular em seu último ano de escola e recebera bolsa parcial de estudos para a faculdade.

As semanas viraram meses, sem nenhum sinal de melhora. Richard continuava em seu estilo de vida rebelde.

Então um dia, de forma inesperada, ele voltou para casa, pôs em dia o sono atrasado, devorou refeições nutritivas e passou a frequentar a igreja com regularidade — condição imposta pelo pai.

Numa noite de sexta-feira, Richard, silenciosamente, teve um encontro com Jesus e entregou-lhe o coração. Nesse ínterim, as acusações referentes a drogas que pesavam contra ele foram postas de lado de forma milagrosa.

Logo depois, Richard matriculou-se numa faculdade cristã e, mais tarde, formou-se em Teologia. Agora, como pastor de sua primeira igreja, ele tem ajudado a libertar muitos jovens envolvidos com drogas e com álcool, levando-os a Jesus e ao poder capacitador do Espírito Santo.

Sim, Deus fez "infinitamente mais do que tudo" o que sua mãe pudesse pedir ou pensar! O que teria acontecido se as orações desses pais não tivessem sido respondidas com tanta rapidez? Conhecendo Peter e Johnnie Lord como os conheço, posso dizer com segurança que eles ainda estariam com muita fé insistindo nas promessas de Deus.

Se, depois de termos educado nossos filhos em lares cristãos, nós os vemos afastarem-se do Senhor, Johnnie Lord oferece-nos uma palavra incentivadora:

— Não importa o quanto a situação lhe pareça ruim. Dê graças a Deus porque ele opera na vida de seu filho, colocando-o de volta no caminho. Nunca perca a esperança.

Mesmo quando entramos em pânico, não devemos esquecer-nos da Palavra de Deus que nos diz que, se educamos nossos filhos no caminho em que eles devem andar, mesmo depois de velhos não se desviarão dele.

Enquanto isso, em nossos momentos de espera, podemos afirmar com Paulo: "[...] vivemos por fé, e não pelo que vemos" (2Coríntios 5.7).

CAPÍTULO TREZE
Orando pelos filhos obedientes

> [...] *não deixamos de orar por vocês e de pedir que sejam cheios do pleno conhecimento da vontade de Deus, com toda a sabedoria e entendimento espiritual.*
>
> (COLOSSENSES 1.9)

— Como orar pelos "bons filhos"? pergunta uma mãe. — Eles já estão vivendo para o Senhor e não causam problemas a ninguém. Não deveríamos orar mais pelos não cristãos e deixar aos cuidados do Espírito Santo os jovens que já estão servindo a Deus?

Paulo chamou aos colossenses "fiéis irmãos em Cristo" (Colossenses 1.2). Embora o apóstolo os reconhecesse como verdadeiros cristãos, sabia que ainda necessitavam de oração e por isso lhes disse que não cessava de orar por eles.

Sim, os bons filhos — os que andam com o Senhor — necessitam das orações maternas tanto quanto os desgarrados. O Inimigo não deseja que esses filhos andem com o Senhor, e fará tudo o que puder para desviá-los. Ele os tentará, procurará desanimá-los e levará outros a falar mal deles. Ele pode até levá-los a ocupar-se na realização de algo para o Senhor, a fim de fazê-los esquecer de quão mais importante é ser o que Deus deseja que sejam. Visto ser Satanás ardiloso e obstinado, "os bons filhos" necessitam da cerca protetora proporcionada pela oração, tanto quanto aqueles que estão fora da família de Deus.

Susana, mãe de João e de Carlos Wesley, o grande pregador e o grande autor de hinos, respectivamente, ensinava-lhes o alfabeto enquanto eles ainda eram muito pequenos. Logo depois eles começavam a ler a Bíblia.

Susana Wesley era mulher de ação e de disciplina, mas justa e de oração. Diz-se que ela orava diariamente com João, com Carlos e com cada um dos demais filhos (teve dezenove, mas nem todos sobreviveram). Conhecia a importância da oração diária e constante na vida dos filhos obedientes. Não é de admirar, pois, que dois deles tenham realizado tanto no Reino de Deus.

Laura, mãe ajustada aos tempos modernos, conta por que ora pelos seus.

— Todos os meus filhos necessitam da ajuda diária para andar fielmente com o Senhor. Os filhos

Orando pelos filhos obedientes

tementes a Deus, do mesmo modo que os negligentes, são cercados de tentações. Peço a Deus que os proteja de todo o dano porque o Inimigo tenta desanimá-los. Oro para que tenham um conceito crescente de quem são em Jesus. E oro para que o fruto do Espírito Santo se manifeste em suas vidas. Oro diariamente uma parte da Oração do Senhor em favor dos meus: "E não os deixes cair em tentação, mas livra-os do mal" (Mateus 6.13).

Orar em favor daqueles que amamos, para que sejam guardados da tentação, não é ideia nova. Jesus orou por Pedro a respeito desse mesmo assunto: "Simão, Simão, Satanás pediu vocês para peneirá-los como trigo. Mas eu orei por você, para que a sua fé não desfaleça [...]".

Ao que Simão Pedro respondeu: "Estou pronto para ir contigo para a prisão e para a morte" (Lucas 22.31-33).

Não há dúvida, Pedro realmente pretendia dizer o que ele estava afirmando no momento. Mas Jesus sabia que logo mais ele enfrentaria a terrível tentação de negá-lo. Sabia que Pedro falharia. Em vez de irar-se contra ele, Jesus simplesmente orou e depois acrescentou: "[...] E quando você se converter, fortaleça os seus irmãos" (v. 32).

Jesus orou não somente por Pedro, mas também por todos os seus discípulos. Em sua grande oração na qual ele entregou todos os seus seguidores à proteção de Deus, ele diz:

> Eu revelei teu nome àqueles que do mundo me deste. Eles eram teus; tu os deste a mim, e eles têm obedecido à tua palavra [...]. Pois eu lhes transmiti as palavras que me deste, e eles as aceitaram [...]. Eu rogo por eles. Não estou rogando pelo mundo, mas por aqueles que me deste, pois são teus. [...] protege-os em teu nome, o nome que me deste, para que sejam um, assim como somos um (João 17.6,8,9,11).

Se Jesus orou desse modo por seus filhos espirituais, então, como pais, devemos orar até mais por nossos filhos cristãos, para que sejam protegidos pelo poder do nome de Jesus. Podemos orar:

> Amado Senhor, trago-te meus filhos. Eles têm ouvido a Palavra de Deus que lhes tenho ensinado, e têm crido nela. Agora, guarda-os, protege-os pelo poder do teu nome, Senhor Jesus. Não permitas que o Maligno leve embora o ensino que receberam, e sim que esse ensino se desenvolva neles. Faze-os homens poderosos e mulheres de Deus para tua honra e glória.

Orando pelos filhos obedientes

As quatro filhas casadas de Beth, bem como os respectivos maridos e filhos, amam e servem ao Senhor. Todos os dias ela ora por eles, citando-os nominalmente.

1. Para que não sejam enganados;

2. Para que não andem no erro;

3. Para que sejam contados como dignos de estar perante o Senhor na sua vinda.

O apóstolo Paulo também orava pelos que estavam sob os seus cuidados. Primeiro ele elogia a fidelidade deles a Deus: "Aos santos e fiéis em Cristo Jesus que vivem em Éfeso" (Efésios 1.1). Eles eram cristãos vigorosos. Então Paulo lhes diz como ora por eles:

> Por essa razão, desde que ouvi falar da fé que vocês têm no Senhor Jesus e do amor que demonstram para com todos os santos, não deixo de dar graças por vocês, mencionando-os em minhas orações (Efésios 1.15, 16).

E qual era a oração de Paulo a favor desses cristãos santos? "Peço que o Deus de nosso Senhor Jesus Cristo, o glorioso Pai, lhes dê espírito de sabedoria e de revelação, no pleno conhecimento dele" (Efésios 1.17). Que mais poderíamos nós, pais, pedir para nossos filhos, senão que cheguem a ter melhor conhecimento de Deus? Que alvo mais elevado poderiam nossos filhos atingir do que possuírem sabedoria e revelação? Necessitamos de pessoas em nosso mundo que saibam o que deve ser feito e como Deus deseja que se faça.

Então Paulo continuou:

> Oro também para que os olhos do coração de vocês sejam iluminados, a fim de que vocês conheçam a esperança para a qual ele os chamou, as riquezas da gloriosa herança dele nos santos e a incomparável grandeza do seu poder para conosco, os que cremos [...] (Efésios 1.18,19).

Pais cristãos devem usar essa oração. Numa época em que parece haver tão pouca esperança, necessitamos orar em favor de nossos filhos, a fim de que saibam para o que foram chamados. Eles necessitam ver que esta vida não é tudo o que há; que eles já são ricos por causa da herança que devem receber. Já são herdeiros e herdeiras no Reino de Deus.

E então pensemos a respeito dessa "incomparável grandeza do seu poder", que Paulo menciona. O que está prometido aos que creem?

> [...] conforme a atuação da sua poderosa força. Esse poder ele exerceu em Cristo, ressuscitando-o dos mortos e fazendo-o assentar-se à sua direita, nas regiões celestiais, muito acima de todo governo e autoridade, poder e domínio, e de todo nome que se possa mencionar, não apenas nesta era, mas também na que há de vir (Efésios 1.19-21).

Nós conseguimos entender que o que Paulo está pedindo aos cristãos é que tenham o mesmo tipo de poder em sua vida que o Cristo ressurreto dentre os mortos teve, o mesmo poder que o fez sentar-se à direita de Deus, o mesmo poder que deu a Jesus Cristo todo o domínio e autoridade? É isso o que Paulo pede para os seus amados filhos efésios, e é isso o que nós, pais, podemos pedir para nossos filhos já seguidores de Jesus Cristo.

Eles podem tornar-se usinas geradoras de poder capaz de transformar o mundo. Dentre eles haverá grandes evangelistas, pregadores, professores e missionários, que ajudarão a levar salvação ao nosso mundo. Alguns terão dons para administrar dos quais resultarão ordem e progresso para a igreja. Outros serão musicistas cujos cânticos quebrantarão corações duros e não cristãos. Alguns serão escritores e editores cristãos.

Ainda outros, homens públicos que mudarão a face da política e converterão suas nações a Deus.

Não há limites para o que pode ser realizado por esses jovens, dotados de poder pelo Espírito Santo e sustentados pelas orações de pais cristãos. Deus está procurando pessoas por meio das quais possa mudar o mundo. Talvez ele deseje usar nossos filhos e filhas.

Oremos para que nossos filhos exerçam influência em um mundo ímpio, revelando Cristo aos colegas e aos professores, sendo ao mesmo tempo "sal" e "luz" no meio em que vivem. Jesus disse: "Assim brilhe a luz de vocês diante dos homens, para que vejam as suas boas obras e glorifiquem ao Pai de vocês, que está nos céus" (Mateus 5.16). Só Deus sabe o que acontecerá se nós, pais cristãos, orarmos verdadeiramente para que nossos filhos se tornem forças positivas em suas escolas e em seus empregos.

O último ato de uma jovem mãe antes de enviar seus dois filhos à escola era orar por eles. Ela orava para que seu trabalho escolar corresse bem, que tivessem um bom dia com os colegas de classe, que Deus ajudasse seus professores e que a vida deles fossem um testemunho a favor de Jesus Cristo.

Orando pelos filhos obedientes

Esse ritual diário junto à porta da frente tornou-se tão importante que, se ela se esquecesse, um ou outro observava: "Mamãe, não vai orar por nós hoje?". Um dia um deles disse: "Mamãe, ore pela minha professora; seu marido está morrendo". Às vezes pediam oração a favor de amigos com problemas espirituais ou com dificuldades em casa. Por causa das orações, esses jovens exerceram forte influência cristã em suas escolas seculares durante todos os seus anos de crescimento. Eles tinham plena consciência de que eram embaixadores de Cristo em um mundo pecador, e essa consciência determinava o seu modo de vida.

Agora um deles está na faculdade e mora com os pais, mas as coisas não mudaram. Quando há uma palestra a dar, um exame difícil pela frente ou uma maratona para terminar um trabalho escrito, ainda se ouve: "Mamãe, ore por mim!".

Oremos para que nossos filhos sirvam de exemplo não só ao mundo pecador, mas também ao mundo cristão. A esse respeito, Paulo tinha muito que dizer a Timóteo, seu filho espiritual. Bom seria se os pais lessem as duas cartas a Timóteo e notassem o tipo de instrução e de oração que Paulo deu ao jovem.

Numa ocasião ele o aconselhou: "Ninguém o despreze pelo fato de você ser jovem, mas seja um exemplo para os fiéis na palavra, no procedimento, no amor, na fé e na pureza" (1Timóteo 4.12).

Paulo conhecia a importância do exemplo do jovem cristão sobre outros que creem. Os rapazes e as moças necessitam conscientizar-se de que não vivem para si próprios. Cada jovem é um exemplo para outro mais jovem e que nele confia. A exuberância da juventude encoraja os santos mais idosos a confiar em que o Reino de Deus descansa em boas mãos e nelas vai continuar.

Os jovens ensinados a orar sabem como fazer isso. Alguns deles se tornam guerreiros de oração, e nisso dedicam grande parte do seu tempo.

É interessante observar que quase todos os grandes reavivamentos do passado aconteceram quando os jovens, muitas vezes estudantes universitários, devotaram-se à oração.

Efetivamente, a grande atuação do Espírito Santo neste século começou em Topeka, no Kansas, EUA, quando um grupo de alunos da escola bíblica orava em três turnos, perfazendo vinte e quatro horas. Dia e noite as orações subiam a Deus vindas dos corações fervorosos desses jovens. E, no primeiro dia de 1901, Deus derramou o seu Espírito sobre os que oravam.

Durante os seguintes três dias os jovens oraram, louvaram, deram graças e adoraram a Deus sem

Orando pelos filhos obedientes

interrupção. Daí o reavivamento espalhou-se pelas cidades vizinhas, depois alcançou os estados limítrofes e finalmente chegou a Azusa, na Califórnia, a um antigo templo Metodista, onde os cristão começaram a reunir-se e a orar. Esse reavivamento durou três anos, noite e dia sem interrupção.

Gente de todo o mundo participou do reavivamento. Muitos foram batizados no Espírito Santo. Centenas se converteram. Dali o reavivamento pentecostal espalhou-se por todo o mundo.

Os jovens comprometidos com Deus podem exercer influência poderosa no mundo por meio da oração e dos exemplos de sua vida.

Paulo tem outra palavra de exortação a Timóteo, a qual nossos jovens devem usar como oração. "Não negligencie o dom que lhe foi dado por mensagem profética com imposição de mãos dos presbíteros" (1Timóteo 4.14).

Certamente ele está referindo-se a um fato ocorrido na ordenação de Timóteo. Mas a cada um de nossos filhos Deus concede dons, a fim de realizarem algo de um modo que nenhuma outra pessoa na terra pode fazer. Oremos para que Deus dê dom ou dons aos nossos filhos. Oremos para que, estimulados, possam exercê-los.

Satanás procura desestimular nossos filhos, insinuando que devem usar seus talentos nas oportunidades que o mundo oferece, em vez de colocá-los a serviço de Cristo. Oremos para que dediquem seu potencial a Deus.

Oremos também pelo trabalho de nossos filhos, para que Deus os guie a lugares onde deseja que estejam. E, enquanto o fazemos, devemos orar por nós mesmos e também por nossos cônjuges. O que faríamos se Deus chamasse nossos filhos para servi-lo a meio mundo de distância? Antes de darmos uma resposta rápida, pensemos no que isso significa. Com que frequência veríamos nossos netos? Em que tipo de situações inseguras ou de higiene viveriam sem nossas queixas? Que dizer de nossa velhice solitária, quando eles só pudessem visitar-nos a cada três ou quatro anos?

Jesus disse: "Peçam, pois, ao Senhor da colheita que envie trabalhadores para a sua colheita" (Mateus 9.38). Isso não será difícil demais se percebermos que são nossos próprios filhos os trabalhadores que ele quer enviar.

Há um mundo perdido, às portas da morte, que precisa ser alcançado. Oremos para que Deus use nossos jovens piedosos nessa colheita, seja em nossa pátria ou fora dela, seja em um ministério de tempo integral ou parcial. Deus usará qualquer pessoa preparada, não importa a sua ocupação.

Orando pelos filhos obedientes

Com lágrimas nos olhos, certa mãe contou à esposa de seu pastor:

— Pensar que orei e dei minha filha à proteção de Deus, e agora ele a chamou para ser missionária! Isso é mais do que eu poderia ter pedido.

Não havia pesar no coração dessa mãe, mas grande alegria porque Deus havia escolhido sua filha para propósitos especiais.

Outro homem, missionário de meia-idade, acabara de saber que sua mãe estava gravemente enferma. Ele se preocupou porque ela poderia morrer.

— Se perco minha mãe, quem orará por mim? — perguntou ele. — Há outras pessoas que dizem orar por mim, mas não sei se realmente o fazem. Ela é a única pessoa na terra com quem posso contar, que persevera comigo em oração.

Não nos esqueçamos também de orar pelos cônjuges de nossos filhos. Mesmo eles sendo muito jovens, nunca é cedo demais para começarmos a orar pelas pessoas que um dia farão parte de nossa família. Billy Graham e sua esposa começaram a orar pelos parceiros de seus filhos quando estes eram bem pequenos, e eles têm incentivado outros a fazerem o mesmo.

Intercedamos pela vida espiritual desses parceiros e para que nossos filhos estejam dispostos a esperar em Deus, em vez de fazerem sua própria escolha. Devemos orar para que no tempo de Deus, e ao modo de Deus, eles se encontrem. Oremos para que, juntos, sejam exemplos de Cristo e de sua igreja, para que juntos ganhem almas para Cristo e sirvam ao Reino de Deus.

Se virmos a necessidade de orar pelos filhos obedientes e ainda acharmos difícil fazê-lo, podemos agir como mencionamos antes. Podemos tomar a Palavra de Deus e torná-la nossa própria. Dessa forma, estamos dizendo um "sim, Senhor" aos textos de sua Palavra.

Diversas mães que conheço usam Isaías 11.2 como modelo de oração, embora reconheçam que inicialmente se tratava da vinda do Messias:

> Pai, oro para que o Espírito do Senhor repouse sobre _____, "o Espírito que dá sabedoria e entendimento, o Espírito que traz conselho e poder, o Espírito que conhecimento e temor do SENHOR".

Outras mais, ainda, acham útil a oração de Paulo:

> "Oro para que _____ seja cheio(a) do pleno conhecimento da vontade de Deus, em toda a sabedoria e entendimento espiritual,

para que _____ viva de maneira digna do Senhor e em tudo possa agradá-lo, frutificando em toda boa obra, crescendo no pleno conhecimento de Deus e sendo fortalecido com todo o poder, de acordo com a força da sua glória, para que _____ tenha toda a perseverança e paciência e com alegria participe da herança dos santos" (Colossenses 1.9-12).

Obedientes ou não, nossos filhos se beneficiam quando nos "colocamos na brecha" a favor deles em oração.

CAPÍTULO QUATORZE

Orando pelos filhos casados

[...] *eu e a minha família serviremos*
ao Senhor.
(Josué 24.15)

As orações de uma mãe por seus filhos casados naturalmente incluem os respectivos cônjuges — intercessões pelas escolhas da carreira certa, pelo companheirismo com os cristãos, por lares piedosos, pela direção, orientação e sabedoria de Deus em todas as suas iniciativas.

Embora amasse e aceitasse o marido de sua filha tal como era, Laura orou durante muitos anos para que o genro se relacionasse mais intimamente com o Senhor. À medida que os anos passavam, ela viu alguns sinais encorajadores. Certa vez, quando os médicos o informaram sobre o câncer pulmonar de sua mãe, ele pediu a Laura que orasse. Então o exame da amostra do tecido revelou tumor benigno, e ele telefonou-lhe dando a notícia:

Orando pelos filhos casados

— O médico disse que o tecido do pulmão da mamãe trazia todas as características de tumor canceroso, mas nós sabemos como ela foi curada, não é mesmo?

Laura contou-me outro grande testemunho:

— Minha avó York pedia a Deus em favor de cada um de seus seis filhos, dos cônjuges, dos netos e bisnetos, citando-os pelo nome, todos os dias. Ela se mantinha informada do que acontecia a eles, a fim de poder orar especificamente. Agora, vinte e cinco anos após a morte dela, todos os seus descendentes são cristãos.

Esse testemunho deveria estimular-nos a todas nós, mães, a não desfalecermos em nossas petições.

Creiamos que é da vontade de Deus que os cônjuges de nossos filhos sejam salvos e se submetam ao Senhor. Devemos assegurar-nos de que Deus os atrairá a si, porque a ele os confiamos. Entretanto, devemos deixar com ele o tempo e o modo de operar na vida deles.

— Devemos aceitar nossos genros e noras como eles são e apoiá-los emocional e espiritualmente — escreveu uma sogra.

Lágrimas enchiam os olhos azuis de Esther enquanto me falava de sua linda filha Diane, que aos vinte e poucos anos de idade ficou paraplégica em consequência de um acidente automobilístico.

— Depois do acidente ela se rebelou e irou-se contra nós e contra Deus — disse Esther. — Então ela se casou com um não cristão. Meu coração entristeceu-se. "Que teria acontecido com todas as minhas orações em seu favor?", perguntei a mim mesma. Hoje ela e o marido têm uma garotinha encantadora, precioso milagre de Deus. Enquanto eu orava certa manhã, o Senhor fez-me entender que, havendo meu genro Tim perdido os pais, eu devia colocar-me em oração em seu favor. Creio que em breve ele aceitará Jesus como Salvador e Senhor e será o marido cristão que há alguns anos venho pedindo para Diane — continuou Esther. — Havendo-a educado nos caminhos do Senhor, tenho a promessa divina de que, quando envelhecer, deles não se desviará. Assim, posso resistir com fé, por ela e por Tim. Já vejo um abrandamento, uma leve reação — concluiu Esther, a sorrir, enquanto procurava uma foto da netinha na carteira.

Mesmo nas horas turbulentas podemos louvar a Deus pelo cumprimento futuro de suas promessas por todos quantos pertencem à nossa família.

Nossas filhas Quinett e Sherry estão orando para que Deus lhes dê maridos como o Davi da Bíblia, que era valente e guerreiro, que falava bem, possuía boa aparência e o Senhor estava com ele (1Samuel 16.18).

Orando pelos filhos casados

Um dia meu filho Keith disse à sua noiva:

— Você é uma joia, um verdadeiro tesouro. Durante anos minha mãe orou por minha futura esposa. Ela não sabia seu nome, mas estava protegendo você com oração.

Senti um nó na garganta quando Keith me contou esse fato. Eu me lembrava dos anos de sua rebeldia, quando eu me perguntava se ele sabia que eu estava orando pelo seu futuro. Hoje ele é artista gráfico de uma importante revista cristã e pertence a uma nova, mas crescente igreja. Sua futura esposa espera usar suas habilidades de cantora para o Senhor.

Quando consolávamos uma de nossas filhas cujo noivado fora rompido, nós nos maravilhamos de sua capacidade de prosseguir com Deus e não olhar para trás. Dentro de duas semanas ela rascunhou uma oração na qual pedia ao Senhor que lhe trouxesse, no tempo dele e à maneira dele, o homem especial que lhe havia preparado.

Nesse ínterim, seu pai e eu devolvemos os presentes de casamento, expedimos anúncios de que o casamento não se realizaria e tentamos manter o equilíbrio. Com a ajuda de Deus, vencemos outra crise da família, porque ele está nos ensinando como orar por nossos filhos.

CAPÍTULO QUINZE

Orando pelos filhos deficientes

> *Quem não receber o Reino de Deus como uma criança, nunca entrará nele.*
>
> (MARCOS 10.15)

— Você é uma mãe especial se, sem amargura ou rebelião, vê seu filho deficiente como dádiva especial de Deus — diz a mãe de um filho com paralisia cerebral.

Minha amiga Bonnie tem quatro crianças, sendo três ativas e saudáveis, e Adam, portador de uma doença incapacitadora. Ela prontamente fala de alguns modos pelos quais ora por Adam:

1. "Oro para que outras crianças aceitem meu filho e tentem ser seus amigos, embora ele seja diferente.

2. "Oro por mim mesma, por nossos outros filhos e pelos parentes, pedindo sabedoria e infinita paciência.

3. "Oro por meu filho deficiente, para que sua vida glorifique a Deus na terra, completando a obra que Deus lhe deu para fazer (João 17.4).

Orando pelos filhos deficientes

Oro para que o potencial de Adam seja maximizado e o propósito de sua vida plenamente realizado no contato com outros.

4. "Sim, oro por sua cura e a espero."

Estou certa de que Deus colocou orações similares no coração de milhares de outras mães que, à semelhança de Bonnie, têm um filho especial para amar, cuidar e nutrir em oração.

Regozijei-me com Bonnie quando uma professora do maternal lhe escreveu a respeito da mudança de seu próprio coração como resultado de haver trabalhado com Adam durante um ano.

— Dei uma ligeira olhada em Adam — disse ela — e percebi que faltava algo em meu ensino. Percebi que o único jeito de tornar-me como ele seria permitir que o Senhor assumisse o comando de minha vida. Jesus disse que se não nos tornarmos como crianças, não entraremos no céu. Adam é um dom de Deus com um propósito especial na terra. Por intermédio dele, o Senhor mostrou-me o caminho para Jesus.

Uma criança pequena a havia conduzido ao Mestre.

Brenda e George têm um filho bonito, Ben, de 14 anos, que se senta na igreja em silêncio ao lado deles. O mais incomum é que Ben é ao mesmo tempo autista e retardado. Mas banhado pelas contínuas orações de seus pais, ele não precisa tomar remédios.

— Por que eu? — perguntou Brenda quando os médicos lhe disseram que Ben não só tinha um palato fendido, mas também era retardado e autista. — Isso seria porque Deus confiava em nós para nos entregar esse pequeno tesouro? Sei apenas que me aproximei mais e mais do Senhor depois que Ben entrou em nossa vida. A princípio, eu me recusava a aceitar suas limitações. Dizia a mim mesma que ele apenas era lerdo para aprender. Com o passar do tempo tive de aceitar o diagnóstico do médico, mas não todas as coisas negativas que, segundo ele, eu teria de esperar durante a vida de Ben. Decidi que teríamos uma vida doméstica tão normal quanto possível — fiz esse voto ao meu marido e aos outros filhos. Com a ajuda de Deus, acho que é o que temos feito.

Ben não toma medicamento algum para controlar sua hiperatividade ou outros aspectos de sua condição. Visto que ele se recusa a tomar remédio quando enfermo, seus pais têm de depender de Deus para curá-lo.

Orando pelos filhos deficientes

— Deus parece responder às nossas orações por Ben mais depressa do que às outras. À noite, muitas vezes oramos debruçados sobre ele enquanto dorme, pedindo ao Senhor que desça e toque em cada área da vida dele, incluindo seu corpo físico — disse Brenda.

Aqueles que têm conhecido Ben, no decorrer dos anos, concordam em que ele tem revelado acentuada melhoria. Seus pais dão graças a Deus por isso, e confiam em que Ben algum dia será completamente restaurado.

Charlotte, cujo marido esteve em coma durante treze anos e faleceu recentemente, tem uma filha, Emily, de 45 anos, que é retardada. Emily mora a seiscentos quilômetros de distância de sua mãe, com a supervisora de um centro maternal de atendimento diurno onde ela está empregada. Charlotte agradece diariamente a Deus a provisão para as necessidades de Emily.

— O Senhor tem sido gracioso em enviar pessoas que aceitam Emily e lhe dão oportunidades de ser produtiva e bem-ajustada tanto quanto ela é — disse Charlotte. — Ela gosta de trabalhar com nenezinhos e com os que, no centro, estão aprendendo a andar. Embala-os, troca-lhes as fraldas, canta para eles e ora com eles. O mais importante é que seu salário lhe permite pagar quarto e pensão à família com a qual mora. Ela toma o ônibus para o trabalho e, no domingo, caminha até o pequeno templo, rua abaixo — explicou Charlotte.

A segunda de quatro crianças, Emily esteve sob as orações e a leitura da Bíblia em casa, exatamente como as demais. Então, há doze anos, segundo conta sua mãe, ela clamou a Deus para que o Espírito Santo a enchesse e satisfizesse às suas necessidades.

— Ela percebeu que era severamente rejeitada por outras pessoas, até mesmo pelas da igreja que frequentávamos em nossa cidadezinha, porém ela sabia que Jesus nunca a abandonaria. Nessa difícil circunstância, Deus atendeu à sua necessidade. Ela está mais próxima do Senhor do que meus outros filhos, e nunca perde a oportunidade de falar do quanto Jesus tem feito em seu favor. Diz que conversa com ele a respeito de tudo e ouve dele o que deve fazer. É lindo observar sua fé resoluta, sua devoção ao Senhor — disse-me essa mãe, passando-me o último retrato de Emily, a exibir a melhor aparência e o mais amplo sorriso. — Aceitar uma filha como Emily é, penso eu, o primeiro passo para a inteireza, dado pela mãe de um filho deficiente — continuou Charlotte. — Orar por essa criança e ver a resposta de Deus às orações nas pequenas, porém importantes áreas da vida é experiência tremenda e humilhante. Desde que Deus tem suprido suas necessidades físicas, continuo a orar para que ele satisfaça à fome espiritual e permita que sua pequena luz lhe seja fiel. Dou graças a Deus pelo nível de amor que chegamos a conhecer por intermédio de Emily e pelo que ensinou à nossa família. Ela tem sido uma bênção. Assim, peço a Deus que continue a abençoá-la — concluiu Charlotte.

Recentemente, um dos amigos de meus filhos, Mark, de 21 anos, morreu de uma enfermidade que o atormentava desde o nascimento. Então escrevi um bilhete à sua mãe. Sua resposta foi como um tesouro para mim:

> Sou-lhe grata por lembrar-se de mim. De certo modo a vida de Mark tornou sua morte mais fácil para nós. Ele não era amargo, não tinha rixa com Deus, e não se sentia triste consigo mesmo. Parecia ver-se como alguém a quem Deus abençoava ricamente. E assim era. E assim somos todos.

Carol, minha parceira de oração, perdeu um filho de 14 anos antes de eu conhecê-la. Contou-me que telefonou a cada pastor de sua pequena comunidade, pedindo-lhes que anunciassem de seus púlpitos a morte de Hal, com esta mensagem:

Não fale à sua congregação sobre o que demos a Hal: educação, bens materiais, até amor. Nada disso conta, exceto que ele conhecia a Jesus e tem agora a vida eterna".

Sempre que ora por alguém chegado a ela, Carol pede a Deus que tome essa oração e a use em favor de outros com necessidades semelhantes — talvez mães aflitas ou angustiadas.

A morte de um filho ajuda-nos a lembrar que Deus é nosso companheiro na aflição. Jesus já enfrentou os sofrimentos com a morte e aguarda a oportunidade de assistir-nos em nossa dor.

Quase todos nós conhecemos alguma mãe de um filho deficiente, que necessita de nossas orações e apoio. Karen, nossa sobrinha de 14 anos, ainda não pode atender às suas necessidades básicas como vestir-se, usar o banheiro e mesmo conversar. Como admiro sua mãe e recebo coragem de seu exemplo! Ela tem uma profundidade de compaixão que ainda não experimentei pessoalmente.

Para todas nós, mães, especialmente para mães como a de Karen, grande é a promessa deste versículo: "[...] sei em quem tenho crido e estou bem certo de que ele é poderoso para guardar o que lhe confiei até aquele dia" (2Timóteo 1.12).

CAPÍTULO DEZESSEIS
Orando pelos filhos no ventre

> *Mas o anjo lhe disse: "Não tenha medo, Zacarias; sua oração foi ouvida. Isabel, sua mulher, lhe dará um filho [...].*
> *[...] será grande aos olhos do Senhor [...] e será cheio do Espírito Santo desde antes do seu nascimento.*
> (LUCAS 1.13,15)

A passagem acima se refere a João Batista, filho de Zacarias e Isabel, o qual lhes nasceu na sua velhice. Como precursor do Messias, ele foi cheio do Espírito Santo desde o ventre materno.

Em resposta a esse texto bíblico, o Dr. Francis MacNutt e sua esposa Judith começaram um deliberado programa de orações por seu primeiro filho desde o momento em que souberam que ela havia sido concebido. Os MacNutts estão entre o crescente número de casais evangélicos que creem que as condições espirituais dos pais afetam o filho no ventre. Eles têm amplo motivo para crer nisso, uma vez que extensas pesquisas demonstram o efeito das atitudes dos pais no filho por nascer.

Em seu livro sobre a vida do filho no ventre, Thomas Verny, médico, refere-se a estudos clínicos evidenciadores de que os bebês no ventre ouvem, têm paladar, sentem e aprendem. Suas percepções começam a moldar-lhe as atitudes e as expectativas a seu próprio respeito. Por exemplo, nos testes eles reagiram com calma à música suave de Mozart, mas reagiram com violência às execuções de Beethoven e ao *rock*. Um bebê no ventre, diz ele, aprende a reconhecer a voz dos pais, é consolado por tons suavizantes e fica transtornado, temeroso e agitado quando os pais discutem.[1]

Os MacNutts oravam duas vezes por dia, com imposição de mãos sobre a mãe, até o filho nascer.

Dr. MacNutt escreveu numa revista:

> Proferíamos nossas orações em voz alta, mas de maneira simples. Não tentávamos comunicar-nos com a criança, exceto por meio de nossas atitudes, mas nos comunicávamos com Deus na presença da criança.

Às vezes oravam em favor de si mesmos — que fossem o tipo de pais que deveriam ser para a criança:

---

1. Tomas R. Verny. *The Secret Life of the Unborn Child*. Nova York: Summit Books, 1981. p. 19,20.

Orando pelos filhos no ventre

Nosso Pai, livra-nos do Maligno. Livra-nos de toda enfermidade, de todos os acidentes e danos de qualquer espécie. Prepara-nos para sermos o tipo de pais que devemos ser para esse pequenino.

Outras vezes oravam especificamente pelo bebê:

Enche essa criança com tua presença e tua vida. Que ela seja especialmente amada por ti. Vigia-a. Enche-a de saúde e felicidade, de grande desejo de nascer, de grande amor pela vida, de paixão pelas coisas espirituais.

Deliberadamente não oravam pela preferência de sexo, evitando que mais tarde a criança sentisse rejeição devida às projeções paternas de predileção a esse respeito.[2]

Harvey e Yvonne Hester oraram por seus filhos antes que estes nascessem. Hoje, como conselheiro cristão, Harvey se confessa grato porque ele e a esposa envolveram suas filhas na oração antes do nascimento.

Segundo os pesquisadores da Universidade da Carolina do Norte, EUA, os bebês se lembrarão do que suas mães leram para eles no ventre materno.

---

2. Francis MACNUTT. Prayers for Unborn. *Charisma*, nov. 1983, p. 28.

No estudo desses pesquisadores, os bebês após o nascimento reagiram mais vigorosamente às histórias que tinham ouvido enquanto estavam no ventre materno do que a outras. Ouvi, de algumas mães cristãs grávidas, que leem a Bíblia em voz alta e ouvem música evangélica por amor a seus filhos no útero.

Um pai que orou por dois de seus filhos antes de nascerem, disse:

— Estou convencido de que poderíamos mudar nossa nação inteira simplesmente orando pelos filhos no ventre e pelos recém-nascidos. Não há necessidade de treinamento especial; apenas amor.

Como mães cristãs, podemos sentir-nos fracassadas pelo fato de termos nos queixado quando soubemos que tínhamos um bebê a caminho. Eu também fiz isso, a princípio, com nossa terceira filha. Afinal de contas, tínhamos uma criança que começava a andar e outra de colo, e acabávamos de nos mudar para um lugar a centenas de quilômetros distante da família e dos amigos. Mas, quando pareceu que podíamos perder o bebê, fiz de tudo para ajudá-la a viver — até mesmo mantendo-me na cama.

Se nos sentimos culpadas, podemos pedir perdão a Deus por não termos aceitado de imediato essas "bênçãos não planejadas". Ele sabe que nós, os pais, falhamos, e aguarda pacientemente a oportunidade de nos perdoar e nos restaurar.

Hoje nosso "bebê-surpresa" prepara-se para servir como missionária na mesma região em que nasceu. Já naquele tempo Deus tinha um plano para ela — isso há vinte anos. E ele tem um plano para cada um de nossos filhos.

CAPÍTULO DEZESSETE

Orando pelos filhos cronicamente doentes e moribundos

---

*Para tudo há uma ocasião certa;
há um tempo certo para cada propósito
debaixo do céu. Tempo de nascer
e tempo de morrer [...].*
(ECLESIASTES 3.1, 2)

Há uma linha multo tênue entre ajudar uma criança a lutar para viver e, finalmente, prepará-la para morrer.

Sandy Prather escolheu ajudar Leah, sua filha de 13 anos, a lutar para viver. O motivo? Ela recebeu de Deus uma palavra clara nesse sentido.

Quando as dores de cabeça de Leah se transformaram num pavoroso tipo de encefalite, Sandy rejeitou o relatório médico segundo o qual sua filha tinha pouca possibilidade de recuperação. No momento em que escrevo estas linhas, Leah não se encontra fora de perigo, mas está lutando para viver.

— Mesmo vendo-a inconsciente e incapaz de comunicar-se, dependendo por completo de tubos para alimentar-se e manter-se viva, recusei-me a crer nos boletins dos médicos. Eles me disseram o que sabiam no terreno natural, mas em meu coração eu tinha a palavra de Deus — contou-me Sandy.

— Que palavra foi essa? — perguntei.

— Deus me mostrou que, embora Satanás venha para matar, roubar e destruir, ele não ia possuir minha filha. Leio em Provérbios 6.31 que o ladrão, ao ser encontrado, deve restituir sete vezes mais. Decidi batalhar contra o Diabo e ver Deus arrancar minha filha de suas garras e voltar a ter saúde mental e física.

Durante o dia, Sandy permanece ao lado de Leah, que se encontra no leito de um hospital. Ela lê em voz alta passagens bíblicas incentivadoras e diz-lhe o quanto a ama. Conversa normalmente sobre o que está ocorrendo na família, como se Leah entendesse cada palavra. Durante a noite, o marido de Sandy faz vigília ao lado do leito.

Nunca a deixamos sozinha, pois poderia dar-se o caso de uma pessoa incrédula dizer-lhe palavras desanimadoras — continuou Sandy. — Comecei a dar-lhe pequenas quantidades de alimento até que, finalmente, embora sem comunicar-se, ela pudesse alimentar-se pela boca. Creio que Deus vai curá-la por completo. Todo o pessoal da área médica está atônito com o progresso de Leah. Eu lhes digo que Deus assegurou ao meu marido e a mim que ela vai sair dessa casa como uma pessoa normal de treze anos. Creio que veremos isso acontecer.

Sandy crê que Deus vai curar Leah, pois prometeu fazê-lo.

Creio que todas as nossas provações se destinam a fazer-nos melhores, não amargos, a levar-nos a Deus, e não a afastar-nos dele. De toda experiência sombria provém um resultado feliz. Por meio dessa situação, a misericórdia e a graça de Deus têm envolvido a mim e à minha família — acrescentou ela.

Quando a morte é iminente

Necessitamos de apurado discernimento de Deus, para saber se ele vai curar uma pessoa cronicamente enferma ou se a morte é iminente.

O apóstolo Pedro escreveu: "[...] sei que em breve deixarei este tabernáculo, como o nosso Senhor Jesus Cristo já me revelou" (2Pedro 1.14).

Especialmente nos Estados Unidos da América, não é comum uma conversa a respeito da morte com os moribundos. Se sabemos que a morte

Orando pelos filhos cronicamente doentes e moribundos

está próxima, não é injustiça conversar com o paciente como se ele estivesse voltando em breve para o seu lar terrenal, em vez de dizer-lhe que ele está prestes a voltar ao lar celestial que Deus preparou para ele?

Nos dias de hoje, quando o câncer, a aids e outras doenças constituem problemas mundiais, não podemos fingir que toda pessoa crônica ou agudamente enferma vai ser curada. Sim, é claro que oramos pela cura de nossos filhos, mas também tentamos conduzi-los ao Senhor, se não estão salvos. Na projeto de Deus, a salvação tem prioridade sobre a cura.

Minha parceira de oração, Fran Ewing, é enfermeira e fisioterapeuta que tem trabalhado com muitos pacientes moribundos. Mais do que isso, Mark, seu filho de 29 anos, chegou às portas da morte em virtude do estado adiantado da doença de Hodgkin. Isso foi há três anos. Fran sabe por experiência própria o que é enfrentar a perda de um filho.

— Deveríamos lembrar a nossos filhos que algum dia todos enfrentaremos a morte física, a não ser que estejamos aqui quando Jesus voltar. Resolvi que eu tinha de preparar Mark para a morte ou para a cura — contou-me ela, enquanto recordava seus momentos agonizantes de entrega de Mark a Deus, para que os propósitos divinos fossem realizados.

De sua vasta experiência em lidar com moribundos, Fran diz que como cristãos devemos 1) estar seguros de que o paciente aceitou a Jesus como seu Salvador e 2) parar de fingir que a pessoa não está morrendo. Devemos, antes, ajudá-lo a lidar com o medo de morrer, comum a todos.

— Devemos ser amorosos, bondosos e sensíveis ao Espírito Santo naquilo que dizemos — disse-me ela. — Se achamos que a pessoa está próxima da morte, desejamos que morra sem medo, com a paz e a segurança de que "estar ausente do corpo é estar presente com o Senhor" — explicou.

Ela aconselha a conversar com o filho que enfrenta essa situação a respeito de seu ser eterno — dizer-lhe que ele é um espírito, que tem uma alma e que vive num corpo. O espírito que está dentro dele continuará a viver na eternidade — com o Senhor, se ele o conhece; em negro desespero, se não o conhece.

Fran, numa conversa com sua amiga Dennie pouco antes de esta falecer, usou a seguinte ilustração, com bom resultado. Ela sugere que as mães poderiam adaptá-la desta maneira:

Orando pelos filhos cronicamente doentes e moribundos

Lembra-se de quando mandamos um presente especial para a vovó no ano passado? Nós escolhemos, compramos, depois fechamos o presente completamente com fita adesiva para despachá-lo. No pacote escrevemos nosso endereço e também o endereço da vovô. Levamos o embrulho ao correio, pagamos o porte e o entregamos ao funcionário encarregado. Ele selou-o e colocou-o de lado, a fim de ser enviado para a vovó.

Você é como aquele pacote especial. Jesus o comprou ao dar a sua vida por você. Ele o selou com o Espírito Santo. Como o pacote que está esperando no correio, você está esperando para ser enviado ao nosso Pai do céu. Não sabemos quando ele mandará buscar você, mas no final um anjo entregará você a Deus.

Ficaremos separados por algum tempo, mas o papai e eu estaremos juntos com você dentro em breve, porque Jesus também nos comprou e está nos preparando para enviar-nos ao Pai. Sabemos para onde vamos, mas ainda não fomos embrulhados. Lembra-se de seu amigo que morreu? Você o verá, e verá também a outros que você conhece. Mas o Amigo que você conhecerá melhor é Jesus.

Jesus deixou o céu e desceu à terra para viver, depois morrer por nós e então voltar ao céu e preparar uma casa maravilhosa para você e para mim.

Vou sentar-me aqui e segurar sua mão até que Jesus mande chamar você; então colocarei sua mão na mão de Jesus.

Fran diz que, quando nossos filhos pensam que a Terra é tudo o que existe, erramos por mantê-los desinformados. Devemos ensiná-los a respeito do céu, a fim de saberem que viver na Terra é apenas a menor parcela da vida.

Muitas vezes, as mães não têm levado seus filhinhos a Jesus, pensando serem pequenos demais ou que talvez venham a ter tempo de sobra mais tarde. Nunca é tarde demais ou cedo demais. Devemos conversar com nossos filhos sobre a aceitação de Jesus como Salvador ainda quando pequenos. A mãe de Corrie ten Boom ajudou-a a aceitar a Jesus quando ela estava com 5 anos; e Corrie sempre se lembrava do momento exato em que isso ocorreu.

Talvez sejamos levadas a fazer a nossos filhos moribundos perguntas concernentes ao perdão: "Existe alguém que magoou você ou de quem você guarda ressentimento? Oremos e peçamos ao Senhor Jesus que lhe perdoe". Fran diz que esse é, muitas vezes, um primeiro e importante passo a dar quando preparamos um filho para a morte.

Ela acentua, também, que as mães deveriam ler em voz alta passagens bíblicas que asseguram aos filhos de que não há dor ou tristeza no lugar para onde vão e de que eles terão no céu uma vida muito melhor em relação à que eles viveram na Terra.

Paulo deixou-nos palavras de estímulo em Romanos 14.8: "Se vivemos, vivemos para o Senhor; e, se morremos, morremos para o Senhor. Assim, quer vivamos, quer morramos, pertencemos ao Senhor".

Esse versículo tem um significado especial para mim porque foi o predileto de minha mãe enquanto a acompanhei durante os treze meses de agonia antes de sua morte. Eu cuidava dela durante o dia e passava a noite numa cama de lona ao lado de seu leito. Além de conversarmos bastante sobre nosso Salvador, nossos assuntos favoritos eram a cura, a saúde e o céu. Nunca me esquecerei dos momentos em que procurávamos nas Escrituras o que Deus tinha a dizer a respeito de tudo isso. Nem posso apagar as lembranças de seus últimos dias, quando eu lia em voz alta a Bíblia para ela todas as manhãs. Embora não pudesse responder-me, meu espírito me dizia que ela estava sendo confortada. Uma vez saiu de seu estado de coma e gritou: "Aleluia! Aleluia! Aleluia!". Essas foram suas últimas palavras, embora resistisse mais três semanas. Eu estava em seu quarto orando o Pai-Nosso quando ela morreu, experiência que prezarei para sempre.

Eis alguns textos bíblicos úteis para partilhar com um ente amado que enfrenta o final de sua vida na Terra:

> Mesmo quando eu andar por um vale de trevas e morte, não temerei perigo algum, pois tu estás comigo [...] (Salmos 23.4).

> Por isso não tema, pois estou com você; não tenha medo, pois sou o seu Deus. Eu o fortalecerei e o ajudarei; eu o segurarei com a minha mão direita vitoriosa (Isaías 41.10).

> [...] E eu estarei sempre com vocês, até o fim dos tempos (Mateus 28.20).

> Se eu subir com as asas da alvorada e morar na extremidade do mar, mesmo ali a tua mão direita me guiará e me susterá (Salmos 139.9,10).

> Não se perturbe o coração de vocês. Creiam em Deus; creiam também em mim.

Orando pelos filhos cronicamente doentes e moribundos

Na casa de meu Pai há muitos aposentos; se não fosse assim, eu lhes teria dito. Vou preparar-lhes lugar. E se eu for e lhes preparar lugar, voltarei e os levarei para mim, para que vocês estejam onde eu estiver. Vocês conhecem o caminho para onde vou (João 14.1-4).

E esta é a promessa que ele nos fez: a vida eterna (1João 2.25).

Cuidado para não desprezarem um só destes pequeninos! Pois eu lhes digo que os anjos deles nos céus estão sempre vendo a face de meu Pai celeste (Mateus 18.10).

Depois de lhes ter falado, o Senhor Jesus foi elevado aos céus e assentou-se à direita de Deus (Marcos 16.19).

CAPÍTULO DEZOITO
Orando pelos netos

> *Recordo-me da sua fé não fingida,*
> *que primeiro habitou em sua avó*
> *Lóide e em sua mãe, Eunice,*
> *e estou convencido de que também*
> *habita em você.*
>
> (2Timóteo 1.5)

Em nossa sociedade instável, com a estrutura do casamento a se destruir, os avós têm profunda responsabilidade por seus netos. Muitos ajudam a criá-los enquanto os pais trabalham, sem contar que muitas vezes assumem total responsabilidade por eles. Em virtude dessas possibilidades, os avós exercem influência direta na vida desses netos, influência positiva ou negativa. Que tipo de influência será a sua?

Minha própria mãe não era apenas minha guerreira de oração preferida, mas era também grande intercessora pelos netos.

Dez anos antes de sua morte, ela experimentou uma renovação espiritual — foi poderosamente

Orando pelos netos

cheia do Espírito Santo e em seguida pousou sobre ela uma fluente linguagem de oração.

Ela havia sido boa mãe. Sem a ajuda de ninguém, criou e educou quatro filhos. Eu estava com 12 anos e era a mais velha quando ela ficou sozinha. Mamãe ganhava nosso sustento dirigindo uma pensão à sombra do palácio do governo. Havia cerca de quarenta pensionistas na casa, e outros trezentos ou mais se alimentavam todos os dias em seu grande refeitório. Alunos de faculdade, trabalhadores de construção e políticos vinham em busca de refeições caseiras e comiam tudo o que podiam, por uma quantia muito pequena.

Embora só frequentasse a igreja evangélica aos domingos, minha mãe desenvolveu grande amor por Jesus e tornou-se mulher de oração, depois de receber o batismo no Espírito Santo, aos 62 anos. Nessa época ela tinha dez netos cujas idades variavam do berço ao primeiro grau.

Sempre que alguém lhe perguntava:

— Qual é sua maior alegria?

Mamãe levantava as mãos para o céu e dizia:

— Louvar ao Senhor e interceder por meus dez netos, representados por estes dez dedos.

Quando meus filhos se sentiam solitários, deprimidos ou necessitados de oração, telefonavam-lhe do colégio, dizendo:

— Mamãe Jewett (era como chamavam a avó), tenho um exame difícil sexta-feira e estou preocupado. Necessito de suas orações.

Mamãe bombardeava os céus em favor desse neto.

Ela parecia possuir mais discernimento espiritual com relação a nossos filhos do que meu marido e eu. Sentia-se com liberdade de dizer-nos quando deveríamos perseverar em nossas orações.

Certa vez, depois de conversar com um de nossos filhos que admitia estar enfrentando dificuldades financeiras, mamãe disse a meu marido:

— Você precisa ir ao campus da faculdade, na Flórida, e ver seus dois filhos.

Se não houver outro motivo, pelo menos para estimulá-los com a sua presença. Você precisa elogiá-los, parar de olhar para as faltas deles e louvar a Deus pelas boas qualidades que possuem.

LeRoy não podia deixar o trabalho para ir, e assim, no dia seguinte, às 5h da manhã, parti para Tallahassee com a bênção de mamãe e algum dinheiro dela destinado ao formando da faculdade, que precisava equilibrar sua conta bancária. Pouco antes de Keith formar-se, mamãe morreu. Depois das cerimônias de formatura, quando nós quatro estávamos fora, ele apertou seu diploma e ergueu os olhos para o céu.

Orando pelos netos

— Sinto tanta falta da mamãe Jewett. Gostaria que estivesse aqui hoje. Ela me ajudou a ganhar este diploma com suas orações.

— Ela sabia que você teria êxito; acreditava em você — consolei-o, enxugando as lágrimas de meus olhos.

Não faço ideia do número de horas que mamãe orou por meus filhos, só Deus o sabe. Ela era para eles, ao mesmo tempo, avó e avô.

Enquanto cuidava de mamãe em seu leito de morte, acometida de câncer, eu lia em voz alta trechos das Escrituras e ela me dava sua colaboração. Certa vez, quando lia Provérbios 13.22: "O homem bom deixa herança para os filhos de seus filhos [...]", ela me disse:

Quero deixar-lhes uma herança espiritual.

A senhora já fez isso — assegurei-lhe.

Quando eu lia em Provérbios 17.6: "Os filhos dos filhos são uma coroa para os idosos [...]", ela conseguiu dizer:

— Meus netos são verdadeiramente minha coroa neste momento.

Dois de meus filhos vieram várias vezes visitar mamãe nas suas últimas semanas de vida. Eles sentavam-se ao lado de sua cama, enquanto ela suportava as fases finais da moléstia. Era a vez de eles orarem por ela.

Por que ela sofre assim? — perguntava o angustiado Keith, a bater o punho na palma da mão e a chorar, numa tarde de Páscoa, dois dias antes de ela falecer.

— Querido, não sei. Mas a Bíblia diz: "Se perseveramos, com ele também reinaremos" (2Timóteo 2.12). Deus ainda tem um propósito para ela na Terra. Posso dizer-lhe que ela ainda ora pelos outros. Eu a conheço bem.

Muitas vezes comparei minha mãe a Lóide, avó do jovem Timóteo. O apóstolo Paulo diz-nos que desde a infância Timóteo sabia "as Sagradas Letras" que o faziam sábio "para a salvação mediante a fé em Cristo Jesus" (2Timóteo 3.15). Obviamente, ele aprendeu essas Sagradas Letras com sua avó Lóide e com sua mãe, Eunice, porque Paulo menciona a fé que elas possuíam (2Timóteo 1.3).

Todos nós nos comovemos ao ler a bela história de Rute, que voltou com sua sogra Noemi para Belém. Identificamo-nos com Rute, mas o que dizer da fiel Noemi? Quando Rute casou-se, Noemi teve novas esperanças, porque ganhou um neto precioso.

As amigas de Noemi lhe disseram: "[...] Que o seu nome seja celebrado em Israel! O menino lhe dará nova vida e a sustentará na velhice [...]" (Rute 4.14,15).

Orando pelos netos

Noemi pôs o menino no colo e cuidou dele. Nós não sabemos que ela orou muitas vezes por esse menininho especial, que veio a ser Obede, pai de Jessé e avô de Davi?

Conheço uma avó que diariamente ora orações da Bíblia, em voz alta, em favor dos netos. Ela me disse que gosta de parafrasear salmos, como este:

> Guarda meu neto Tom, em todos os seus caminhos. Sê tu a sua fortaleza na hora da adversidade. Ajuda-o e livra-o dos ímpios. Salva-o porque ele busca refúgio em ti (37.39,40).

Em 1820, uma garotinha, Frances Jane, ficou cega em consequência de medicação errada. Em vez de tornar-se amarga à medida que crescia, ela respondeu positivamente ao treinamento de sua fiel avó que a ajudava a memorizar muitos versículos da Bíblia. Desde a mocidade à sua morte, aos 95 anos, fluíram dessa neta mais de 3 mil hinos e cânticos evangélicos. Nós a conhecemos como Fanny Crosby, a cega, que nos deixou como um legado hinos que muitas vezes cantamos, por exemplo: *Meu Senhor, sou teu, Que Segurança!, A Água da Vida Jesus te Dá* e centenas de outros.[1]

---

1. Bernard RUFFIN. *Fanny Crosby*. Nova Yok: Pilgrim Press, 1976. p. 20, 30, 255.

Não, nunca subestimemos a virtuosa influência de uma avó temente a Deus.

Gosto de visitar Lib, minha ex-companheira de oração, e observá-la, sentada no balanço à sombra de um olmo frondoso, cantar para um de seus três netos, Josué, Raquel ou Quira, hinos que falam de Jesus. Dela eles têm aprendido a levantar os bracinhos e dizer: "Louvado sejas, Jesus". Dela eles têm aprendido a orar antes de dormir.

— Esta é a melhor fase de minha vida, meu maior privilégio, ajudar a criar esses três netos — disse-me ela na semana passada, quando dirigi quase setecentos quilômetros para vê-la e ao membro mais novo da família

Quando seu marido Gene colocou Josué, de 2 anos, na cama para tirar uma soneca, ele orou pelo menino como sempre faz quando desempenha o papel de babá. Observando-o, veio-me à lembrança Jacó chamando a si os dois filhos de José e abençoando-os, pouco antes de morrer. Os avós dos tempos bíblicos exerciam muita influência na vida dos seus. Estou certa de que os justos oravam constantemente pelos netos.

Se temos netos, é nosso o raro privilégio de nutri-los no amor do Senhor. Deus pode fazer de nós influências positivas em suas vidas enquanto oramos por eles.

CAPÍTULO DEZENOVE

Orando sem sentimento de culpa

*Se vocês permanecerem em mim,
e as minhas palavras permanecerem em
vocês, pedirão o que quiserem,
e lhes será concedido.*

(João 15.7)

Com muita frequência achamos que aquilo que fazemos por nossos filhos é pouquíssimo e tarde demais. Somos, nesses momentos, dominados pela culpa, dizendo: "Se ao menos...". Se ao menos tivéssemos orado mais cedo, ensinado com maior antecedência, amado mais, comunicado melhor. Se ao menos...

Podemos confiar em que Deus faz tudo da maneira certa e no tempo certo? Podemos pedir o perdão de Deus (e às vezes também o de nossos filhos) por nossas falhas como pais, e então confiar nele? Se não quisermos viver ansiosos, temos de confiar.

Muitas vezes tenho pedido perdão aos meus filhos, e creio que terei de fazê-lo outras vezes mais. Na realidade, quando semeamos perdão, colhemos perdão. É importantíssimo saber que, quando mantemos uma atitude de perdão, conservamos abertos nossos canais de comunicação com Deus.

Cada filho de Deus, cada cristão nascido de novo, tem promessas do Pai celeste sobre as quais basear a vida. Quando lemos a Bíblia, encontramos muitas promessas que se aplicam à dificuldade individual de nossa família. Só Deus sabe quando nossa situação particular está plenamente amadurecida para receber a sua resposta. Enquanto aguardamos com fé e paciência entrar na posse dessas promessas, podemos tranquilizar-nos por meio desses versículos edificadores da fé:

> Ora, a fé é a certeza daquilo que esperamos e a prova das coisas que não vemos (Hebreus 11.1).
>
> Descanse no SENHOR e aguarde por ele com paciência [...] (Salmos 37.7).
>
> Apeguemo-nos com firmeza à esperança que professamos, pois aquele que prometeu é fiel (Hebreus 10.23).
>
> "Eu sou o SENHOR, o Deus de toda a humanidade. Há alguma coisa difícil demais para mim?" (Jeremias 32.27).

Sim, que privilégio o nosso de, em oração pelos nossos filhos e netos, irmos à própria sala do trono de Deus!

Se fazemos isso regularmente, podemos orar sem sentimento de culpa.

CAPÍTULO VINTE

Deixando um legado de oração

> [...] *Ana se levantou e, com a alma amargurada, chorou muito e orou ao* SENHOR. *E fez um voto, dizendo: "Ó* SENHOR *dos Exércitos, se tu deres atenção à humilhação de tua serva, te lembrares de mim e não te esqueceres de tua serva, mas lhe deres um filho, então eu o dedicarei ao* SENHOR *por todos os dias de sua vida, e o seu cabelo e a sua barba nunca serão cortados".*
>
> (1SAMUEL 1.9-11)

Se quisermos que nossos filhos orem, eles devem ouvir-nos orar. A maior demonstração do poder de Deus a nossos filhos é eles saberem que nós, os pais, obtemos respostas às nossas orações. Isso acontece quando eles nos ouvem orar e veem os resultados.

Estudemos por um momento a primeira oração de Ana, aquela feita em silêncio no templo, enquanto o sacerdote Eli a observava. Seus lábios moviam-se, mas não se ouvia a sua voz. Entretanto, o que disse a Deus sem dúvida ficou registrado, porque mais tarde ela mesma contou a Samuel os termos da oração.

A oração de Ana é a primeira proferida por uma mulher e registrada no Antigo Testamento. Seu pedido era especifico: "Dá-me um filho". Ela pediu a Deus que mudasse as suas circunstâncias, visto que era estéril. Três vezes humilhou-se, chamando-se "serva". Altruísta em sua petição, ela fez um voto de entregar o filho a Deus.

Ana foi honesta diante de Deus. Suas intenções eram sérias para com ele. Arriscou até a ser mal-interpretada pelo sacerdote, que a julgou embriagada.

Por intermédio de Eli, entretanto, Deus lhe disse que seu pedido seria concedido. No devido tempo, Ana concebeu e deu à luz um filho, e lhe pôs o nome de Samuel, dizendo: "Eu o pedi ao SENHOR" (1Samuel 1.20).

À época de sua segunda petição, Ana já estava amadurecida em sua vida de oração. Ela começa falando de seus sentimentos, mas termina louvando a Deus por seu poder e sua justiça. Finalmente, ela profetiza que Deus dará força ao seu rei — numa terra que nunca antes tivera rei.

Deixando um legado de oração

Finalmente, seu primogênito Samuel ungiria o primeiro rei de Israel.

Às vezes nos esquecemos de que Ana teve três filhos e duas filhas, nascidos depois de Samuel. Como Deus ouviu as suas orações!

O nome de Samuel provém de duas palavras, *eli*, que em hebraico é "Deus", e *samu*, que significa "peço". Ele sabia desde a mais tenra infância que as orações de sua mãe haviam sido respondidas. Toda vez que ela proferia o seu nome, estava dizendo: "Eu o pedi ao Senhor".

Que legado ela deixou para ele!

E se já meditamos na oração de Maria antes do nascimento de Jesus, não podemos deixar de notar sua semelhança com a magnífica oração de louvor de Ana. Quão precioso é termos as orações dessas mulheres registradas como padrões para orarmos em voz alta. Elas também nos incentivam a escrever nossas orações, a fim de as deixarmos para nossos filhos e netos.

A escritora Catherine Marshall, que manteve um diário a maior parte de sua vida, muitas vezes registrava suas orações. Em seus livros, ela dá maravilhosos exemplos de orações respondidas em favor de seus filhos — desde o retorno deles ao

Senhor após períodos de rebeldia, até encontrar os cônjuges certos.

Charles Spurgeon escreveu certa vez:

> Minha própria conversão é consequência de oração. Por muito tempo, com carinho e importunação, meus pais oraram por mim. Deus ouviu os seus clamores, e aqui estou eu para pregar o Evangelho.

Como é que ele sabia? Ele os ouvia orar.

As Escrituras exortam claramente os pais cristãos a instruir seus filhos nos caminhos de Deus. Somos ordenados a ensinar os mandamentos divinos a nossos filhos, falar sobre eles sentados em casa e andando pelo caminho, quando nos deitamos e quando nos levantamos (Deuteronômio 6.7). Creio que isso inclui orar em voz alta em favor deles, permitindo que nos ouçam quando nos deitamos à noite ou quando nos levantamos de manhã.

Há, também, a importância da oração escrita. Estabeleci a prática de escrever orações por meus filhos e incluí-las nas cartas que lhes envio. Às vezes eu imprimo uma oração ou um versículo bíblico num cartão de 7,5 x 15 cm, de sorte que possam colocá-lo nos espelhos como lembretes diários para orarem juntamente comigo.

Emociono-me toda vez que leio o versículo que diz que Deus mantém "a aliança e a bondade por mil gerações daqueles que o amam e obedecem aos seus mandamentos" (Deuteronômio 7.9). Que herança extraordinária!

Passemos às mãos de nossos filhos a maior herança possível: nossa vida pessoal de oração como modelo para eles.

No ano passado observei minhas duas filhas quase me ultrapassarem em sua vida de oração. Oro para que elas continuem a crescer e a partilhar comigo as novas formas de orar que o Espírito Santo está lhes ensinando, de modo que, quando tiverem filhos, juntas possamos ensinar-lhes a orar também.

Essa é minha oração por todos nós e por nossos filhos.

Esta obra foi composta em *Garamond*
e impressa por Imprensa da Fé sobre papel
Offset 63 g/m² para Editora Vida.